L'ÉNIGME DES
FOSSILES

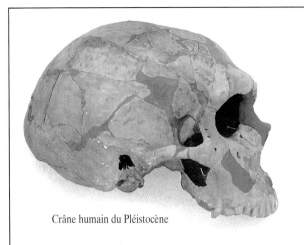

Crâne humain du Pléistocène

Gastéropodes
de l'Eocène

Poisson de l'Eocène

Phalanges de
dinosaure du Crétacé

Reptile nageur du Permien

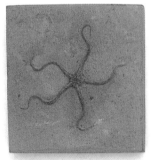

Ophiure du Jurassique

Section polie
de cône
du Créacé

Cône du Crétacé

Section polie de nautiloïde
de l'Ordovicien

Oursin du Jurassique

Prêle du
Carbonifère

Prêle
moderne

Dent de
requin de
l'Eocène

Corail du Pléistocène

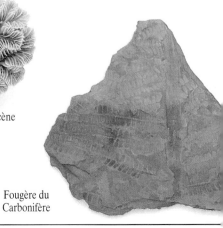

Fougère du
Carbonifère

Ammonite
du Jurassique sculptée
en « pierre de serpent »

L'ÉNIGME DES
FOSSILES

par

Paul Taylor

en association avec le British Museum
(Natural History Museum), Londres

Photographies originales de Colin Keates

Empreinte
de reptile
du Trias

Lycopode
du Carbonifère

Brachiopode
du Silurien

Coupe polie de
fougère à graines
du Permien

Poisson
de l'Eocène

Coup-de-poing
du Pléistocène

Corail
moderne

Coquille
Saint-Jacques
du Pliocène

Corail du
Pléistocène

LES YEUX
DE LÁ DÉCOUVERTE
GALLIMARD

Dent de dinosaure
du Crétacé

Ammonite du
Jurassique

Araignées du Carbonifère

Oursin du Pléistocène

Gastéropode
opalisé du
Crétacé

Bivalve opalisé
du Crétacé

Bryozoaire du Crétacé

Ver du Crétacé

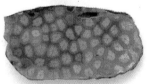

Section polie de corail
du Jurassique

Coraux du Miocène

Comité éditorial
Londres :
Alison Anholt-White, Anne-Marie Bulat,
Julia Harris, Sophie Mitchell,
Louise Pritchard et Sue Unstead

Paris :
Christine Baker, Claire d'Harcourt,
Jacques Marziou et Elisabeth Robinson
Édition française préparée par
Pascale Froment

Conseiller : Daniel Goujet, sous-directeur
au Musée national d'histoire naturelle

Collection créée par
Peter Kindersley
et
Pierre Marchand

Gastéropodes
du Pléistocène

Microscope du
XIXᵉ siècle pour
examiner des
microfossiles

ISBN 2-07-055716-2
La conception de cette collection est le fruit
d'une collaboration entre les Editions Gallimard
et Dorling Kindersley.
© Dorling Kindersley Limited, Londres 1989
© Editions Gallimard, Paris 1989, pour l'édition française
Loi n°49-956 du 16 juillet 1949 sur les publications destinées à la jeunesse
Pour les pages 64 à 71 :
© Dorling Kindersley Ltd, Londres, 2003
Édition française des pages 64 à 71 :
© Éditions Gallimard, Paris, 2004
Traduction : Véronique Dreyfus - Édition : Clotilde Grison
Préparation : Isabelle Haffen
Correction : Lorène Bücher - Flashage : IGS (16)
Dépôt légal : février 2004
N° d'édition : 125723
Imprimé en Chine par Toppan Priting Co. (Shenzen) Ltd

Lis de mer
du Silurien

Mâchoires
de chauve-souris
du Miocène

Bryozoaires du Carbonifère

Fleur de magnolia
moderne

SOMMAIRE

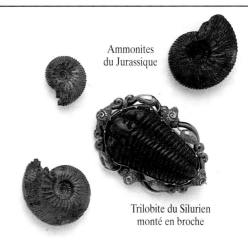

Ammonites
du Jurassique

Trilobite du Silurien
monté en broche

QU'EST-CE QU'UN FOSSILE ?

Les fossiles sont les restes ou les empreintes d'animaux ou végétaux conservés dans des dépôts sédimentaires. Leur éventail est très large, des squelettes d'énormes dinosaures aux plantes et aux animaux microscopiques. La plupart correspondent aux parties dures des animaux ou des plantes : coquilles, os, dents ou bois. Ils peuvent être conservés dans leur totalité mais, plus souvent, la substance originelle a été « minéralisée », c'est-à-dire remplacée par une autre. On les trouve aussi dans la tourbe, le goudron, la glace et l'ambre jaune, une résine fossile. Les œufs, les empreintes de pattes et les terriers peuvent également être fossilisés. L'étude des fossiles s'appelle la paléontologie. Elle nous apprend que la vie a commencé sur Terre voici au moins 3 500 millions d'années.

MYSTÉRIEUSE TROUVAILLE
Cela fait des centaines d'années que des amateurs collectionnent les fossiles. Mais le mystère de leur véritable nature n'a été élucidé qu'assez récemment. Cette illustration figure dans un livre italien datant de 1670.

RIEN QUE LES OS
Des animaux, il ne reste que les os, qui sont les parties les plus dures. Voici une vertèbre fossilisée d'un grand reptile saurien, le plésiosaure (pp. 46-47).

Moulage d'un trilobite

FAIT AU MOULE
Les fossiles comportent souvent deux parties. Lorsqu'un animal se décompose, une fois enfoui, il laisse un moule creux de sa forme. Si celui-ci est rempli par des sédiments (p. 9), il peut durcir et former une empreinte.

Dent de plésiosaure

LA DENT DURE
Du fait de leur dureté, les dents sont souvent fossilisées.

DÉLICATESSE RARE
Les plantes fosssiles sont rarement conservées car les végétaux pourrissent dès qu'ils meurent. Sur cette feuille, pourtant, même les nervures ont été fossilisées.

AMMONITE NACRÉE
Les ammonites (pp. 28-29) sont aujourd'hui éteintes. Leur coquille était constituée d'une substance calcaire, l'aragonite, recouverte d'une couche de nacre. Celle-ci, à droite, est presque conservée dans son état original.

BOIS PRÉCIEUX
Une forme de fossilisation se produit lorsque, sous l'effet de transformations chimiques, une substance minérale remplace, fibre à fibre, les tissus originels ou le matériau dont l'animal ou la plante sont constitués. Les fibres de ce morceau de bois fossilisé ont été remplacées par de l'opale précieuse.

TRACES ANCIENNES

Cette piste est celle d'un animal
inconnu qui évoluait au fond de la mer,
il y a des millions d'années. L'étude des traces
fossiles, témoignages d'activités animales, est
l'objet d'une science particulière : l'ichnologie.

FOSSILES... FAUX !

On croirait aux restes fossilisés d'une plante,
mais ces arborisations ramifiées, appelées
dendrites, sont en réalité du manganèse
infiltré dans
la roche, et
non des
fossiles.

ANIMAL OU VÉGÉTAL ?

Minéral ! N'étant pas des
restes d'animaux ou de
plantes, les minéraux
ne sont pas des fossiles.

EN BLOC

Les fossiles gisent parfois
groupés, indiquant que les
animaux pullulaient. Ces petites
ammonites se trouvent dans
un bloc de calcaire (p. 9).

FAUX AMIS...

Dans les années 1720, en
Allemagne, alors que la nature
des fossiles n'avait pas encore
été élucidée, ces faux ont été
sculptés et enterrés par des
élèves qui voulaient se jouer de
leur professeur. Celui-ci, Johann
Beringer, s'est laissé abuser
et a publié des descriptions
de ses découvertes… Quelle
humiliation pour lui, lorsque
le subterfuge a été découvert !

PAS FOSSILE !

Autrefois le terme de « fossile », qui signifie
« qui est extrait de la terre », désignait
aussi bien d'anciennes poteries, comme
cette pièce grecque, que des minéraux
trouvés dans le sol. Ce n'est plus le cas.

*Il manque
des fragments.*

ATTENTION : SILEX

Non, ce ne sont ni une tête de
canard ni une jambe humaine
fossilisée ! Leur forme n'est
que pur hasard. Ce sont des
nodules de silex, morceaux
de roche retrouvés dans de la
craie (p. 9), dont les formes
bizarres les font souvent
prendre à tort pour
des fossiles.

Silex en forme
de tête de canard

Silex en forme
de jambe humaine

Grappe de raisins

*Animal ressemblant
à un calmar*

Pseudo-fossiles de Beringer

7

COMMENT SE FORMENT LES ROCHES

Il a fallu 4 000 millions d'années pour que se forment les roches sur lesquelles nous marchons. Selon différentes combinaisons, les principaux éléments de l'écorce terrestre, oxygène, silicium, aluminium, fer, calcium, sodium, potassium, magnésium et carbone constituent les minéraux : calcite (carbonate de calcium), quartz (oxyde de silicium) et feldspath (minéraux complexes contenant aluminium, silicium, calcium, sodium et potassium).

On distingue trois groupes de roches : éruptives, métamorphiques et sédimentaires.

ROCHE PLISSÉE
Les puissants mouvements de l'écorce terrestre peuvent plier les roches et provoquer des failles.

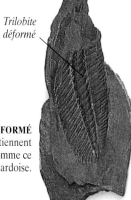

Trilobite déformé

TRILOBITE DÉFORMÉ
Les roches métamorphiques contiennent parfois des fossiles déformés comme ce trilobite (p. 30) dans une ardoise.

AMÉTHYSTE
L'améthyste est une variété violette de quartz. Lorsqu'ils croissent librement, les cristaux de quartz sont pointus et hexagonaux.

Feldspath — *Mica* — *Quartz*

Mica noir
Quartz
Feldspath blanc

Lame mince de granit

ROCHES ÉRUPTIVES

GRANIT
Différents minéraux mouchettent ici la roche. Le granit est une roche ignée formée dans les profondeurs.

Elles se forment par le refroidissement du magma en fusion venant des profondeurs de la Terre. Celui-ci atteint parfois la surface et jaillit des volcans sous forme de lave.

GRAND CANYON
Le grand canyon du Colorado (Etats-Unis) est une coupe, ou section naturelle dans l'écorce terrestre. Les roches y sont stratifiées : les plus anciennes en bas et les plus récentes en haut.

Bande riche en mica

Bande riche en quartz

SCHISTE
Les bandes parallèles de différents minéraux sont communes aux roches métamorphiques.

ROCHE MÉTAMORPHIQUE
La chaleur et la pression peuvent transformer les roches. Ainsi le calcaire devient du marbre et les argiles feuilletées, de l'ardoise.

Bande de quartz
Bande de silicate

Fine coupe de schiste

Sédiment plus gros
Une varve
Sédiment fin

STRATES
Dans cette roche sédimentaire, chaque ensemble d'une couche claire (sédiment fin) et d'une couche plus foncée (sédiment plus gros) représente l'accumulation annuelle de vase et de boue, appelée varve, qui se dépose au fond d'un lac glaciaire.

FALAISES CRAYEUSES
La craie est un calcaire blanc pur, composé de squelettes de minuscules végétaux marins.

DU BÉTON
Cette roche sédimentaire est constituée de petits cailloux arrondis liés par un ciment naturel, conglomérat qui peut ressembler à du béton.

Petits cailloux

Ciment naturel

Grains de sable libres

Grès

ROCHES SÉDIMENTAIRES

Continuellement exposées aux intempéries et érodées, les roches finissent par former des grains que les rivières, la mer ou le vent vont transporter. Ces grains se déposent sous forme de vase, de sable ou de graviers, enfermant des restes d'animaux ou de plantes. Enterrés de plus en plus profondément par d'autres sédiments, ils deviennent compacts et cimentés par la croissance de minéraux : une roche sédimentaire est née.

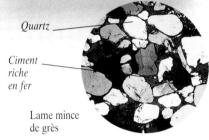

Quartz

Ciment riche en fer

Lame mince de grès

CONCRÉTION
De nombreuses roches sédimentaires contiennent des parties dures, appelées concrétions, ou nodules, qui se sont formées après le dépôt des sédiments et, souvent, autour de coquilles fossiles, comme cette coque.

Coquille de bivalve

Coquilles en petits morceaux

CYCLE ÉTERNEL
Quand des falaises de roches sédimentaires s'érodent, de petits fragments se déposent sur la plage où ils seront encore plus érodés, formant à leur tour une nouvelle roche sédimentaire.

Fragment de coquille

Lame mince de calcaire

ROCHE FOSSILIFÈRE
Le calcaire est une roche sédimentaire principalement composée de calcite et autres carbonates du même genre. En général, la calcite provient de coquilles détruites, de squelettes d'animaux et de plantes qui vivaient dans la mer. Des coquilles plus grandes, presque intactes, peuvent également s'y trouver. Ce calcaire silurien contient des brachiopodes fossiles.

Brachiopode fossile

Ère	Période	(en millions d'années)
CÉNOZOÏQUE	Pliocène (époque)	5
	Miocène (époque)	24
	Oligocène (époque)	34
	Eocène (époque)	53
	Paléocène (époque)	65
MÉSOZOÏQUE	Crétacé	135
	Jurassique	205
	Trias	245
PALÉOZOÏQUE	Permien	295
	Carbonifère	360
	Dévonien	410
	Silurien	435
	Ordovicien	500
	Cambrien	540
	Précambrien (période sept fois plus longue que toutes les autres réunies)	4600 (origine de la Terre)

COLONNE STRATIGRAPHIQUE
Le temps géologique est divisé en ères et en périodes utilisées pour dater roches et fossiles.

DES ANIMAUX ET DES PLANTES QUI SE PÉTRIFIENT

La fossilisation d'un organisme vivant est un processus très aléatoire qui s'étend sur des millions d'années. Dès leur mort, animaux et plantes commencent à se décomposer. Leurs parties dures, coquilles, os, dents et bois se conservent plus longtemps que les tissus, mous, mais doivent être enterrées rapidement par les sédiments pour éviter la dispersion. Des risques de dissolution, transformation chimique ou de déformation subsistent encore. Seule une infime fraction des fossiles potentiels nous parvient. Les moules offrent un bon exemple de cette longue évolution.

L'ŒUVRE DU TEMPS
Formées et érodées sur des millions d'années, les roches révèlent parfois des fossiles.

2 EN DÉCOMPOSITION
Lorsqu'une moule meurt, ses valves s'ouvrent en ailes de papillon. La chair commence alors à pourrir ou est mangée par des animaux nécrophages.

Moule vivar

Byssus

1 EN VIE
Vivantes, les moules sont fixées aux rochers par un faisceau de filaments soyeux appelé byssus. Leurs parties molles sont enfermées dans une coquille calcaire composée de deux valves. Elles passent en général toute leur vie à la même place. En masses compactes, elles forment un banc, un parc ou une moulière.

DE LA CONSERVATION À LA DÉCOUVERTE

Ces quatre dessins montrent comment des animaux se sont conservés et de quelle manière on découvre leurs restes des millions d'années plus tard. C'est un processus très lent, soumis aux changements climatiques et géologiques.

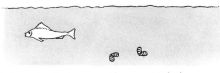

1. Les restes d'animaux sont lentement enfouis sous des couches de sédiments.

2. Les couches inférieures se transforment en roche et ces restes se fossilisent.

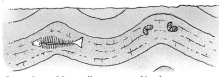

3. Le rocher subit un plissement et s'érode.

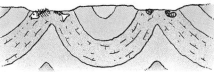

4. Les fossiles apparaissent à la surface.

Les parties molles sont décomposées.

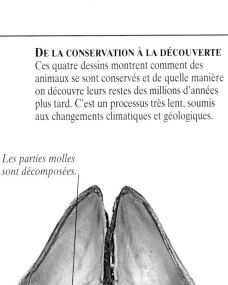

3 PARTIES DURES

Lorsque les parties molles ont fini de se décomposer, seule subsite la coquille.

4 VERS LA FOSSILISATION

Entraînées par les courants, les coquilles de moules mortes sont mélangées aux petits cailloux et au sable, et s'échouent sur les plages. Sur cette image, certaines ont conservé leurs deux valves attachées par un ligament de tissu résistant ; chez d'autres, ce ligament s'est rompu et les valves se sont séparées. Le battement constant des vagues réduit parfois les coquilles en petits morceaux. Mais cassées ou entières, elles peuvent toutes être enfouies et lentement fossilisées.

Valve séparée

Ligament résistant tenant les valves attachées

Coquille de moule fossilisée

5 MOULES FOSSILISÉES

De nombreuses petites moules sont parfois incrustées dans le rocher. Ici, un ciment minéral naturel lie les grains de sédiments et les coquilles fossiles : il sera très difficile au collectionneur de les dégager.

EN COULEURS

Les coquilles des moules vivantes sont bleu ardoisé. Sur ces moules fossiles de quelque deux millions d'années, il reste un peu de couleur.

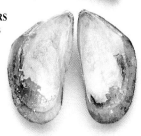

DÉCOLORÉES

En général, les coquilles se décolorent au cours de la fossilisation. La couleur brune de celles-ci provient de la roche où elles se sont fossilisées.

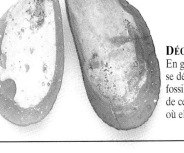

LA TERRE EST LE THÉÂTRE D'UN CHANGEMENT PERPÉTUEL

L'histoire de la vie s'est déroulée dans un monde en évolution constante depuis sa formation, il y a 4 600 millions d'années. L'écorce terrestre est divisée en plusieurs plaques qui se déplacent les unes par rapport aux autres. La plupart des tremblements de terre et des volcans naissent à leurs contacts. Sur des millions d'années, les effets combinés de leurs mouvements ont provoqué la dérive des continents : l'Amérique du Nord s'éloigne de l'Europe à raison de deux centimètres par an. Le niveau des mers a monté ou baissé à maintes reprises, les climats ont changé. Voilà pourquoi l'on trouve des fossiles marins loin dans les terres, ou des fossiles de plantes tropicales dans des climats froids : témoins des changements de l'environnement, ils révèlent aux scientifiques les différentes formes de vie qui se sont succédé sur la planète.

CHANGEMENTS CONSTANTS
Les volcans et les tremblements de terre récents, comme celui de Lisbonne, au Portugal, en 1755, sont les effets dramatiques des changements constants de la Terre.

PREMIERS FOSSILES
Les plus vieux fossiles du monde, cellules semblables à de minuscules bactéries, ont 3 500 millions d'années. Des animaux complexes constitués de nombreuses cellules, comme ce *Tribrachidium* d'Australie, sont apparus à la fin du Précambrien.

Mollusque du Carbonifère (bellérophontide)

Corail du Carbonifère

Poisson du Dévonien

Fougère à graines du Carbonifère

Trilobites du Silurien

Graptolites du Silurien

Braciopodes du Silurien

Crinoïde du Carbonifère

Gastéropode du Silurien

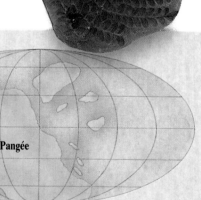

Gondwana

Pangée

LE DÉBUT DU PALÉOZOÏQUE (540-411 M. a.)
Paléozoïque signifie « vie ancienne ». Au début du Paléozoïque, il y avait un grand contient, le Gondwana, au pôle Sud. Presque toutes les formes de vie se trouvaient dans la mer : invertébrés, particulièrement nombreux, mais aussi poissons primitifs. Les premiers végétaux terrestres sont apparus vers la fin de cette période.

LA FIN DU PALÉOZOÏQUE (410-246 M. a.)
La vie s'est beaucoup diversifiée à la fin du Paléozoïque, lorsque la plupart des terres ont été réunies en un supercontinent appelé Pangée. Les amphibiens, les reptiles, les insectes et d'autres animaux ont colonisé la terre ferme, se nourrissant de la végétation qui s'y était développée. Une disparition massive de nombreuses formes de vie s'est produite à l'extrême fin du Paléozoïque.

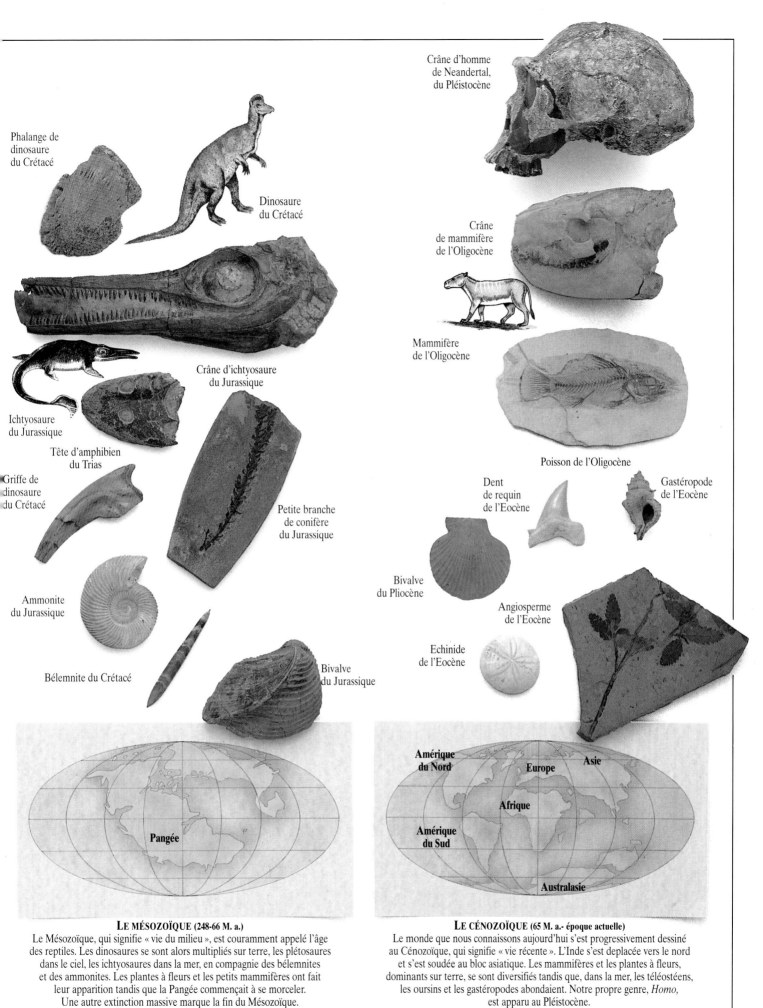

Phalange de
dinosaure
du Crétacé

Dinosaure
du Crétacé

Crâne d'homme
de Neandertal,
du Pléistocène

Crâne
de mammifère
de l'Oligocène

Mammifère
de l'Oligocène

Crâne d'ichtyosaure
du Jurassique

Ichtyosaure
du Jurassique

Tête d'amphibien
du Trias

Griffe de
dinosaure
du Crétacé

Petite branche
de conifère
du Jurassique

Poisson de l'Oligocène

Dent
de requin
de l'Eocène

Gastéropode
de l'Eocène

Bivalve
du Pliocène

Angiosperme
de l'Eocène

Ammonite
du Jurassique

Echinide
de l'Eocène

Bélemnite du Crétacé

Bivalve
du Jurassique

**Amérique
du Nord**

Europe

Asie

Afrique

**Amérique
du Sud**

Pangée

Australasie

LE MÉSOZOÏQUE (248-66 M. a.)

Le Mésozoïque, qui signifie « vie du milieu », est couramment appelé l'âge
des reptiles. Les dinosaures se sont alors multipliés sur terre, les plétosaures
dans le ciel, les ichtyosaures dans la mer, en compagnie des bélemnites
et des ammonites. Les plantes à fleurs et les petits mammifères ont fait
leur apparition tandis que la Pangée commençait à se morceler.
Une autre extinction massive marque la fin du Mésozoïque.

LE CÉNOZOÏQUE (65 M. a.- époque actuelle)

Le monde que nous connaissons aujourd'hui s'est progressivement dessiné
au Cénozoïque, qui signifie « vie récente ». L'Inde s'est deplacée vers le nord
et s'est soudée au bloc asiatique. Les mammifères et les plantes à fleurs,
dominants sur terre, se sont diversifiés tandis que, dans la mer, les téléostéens,
les oursins et les gastéropodes abondaient. Notre propre genre, *Homo*,
est apparu au Pléistocène.

LES FOSSILES ONT LONGTEMPS GARDÉ LEUR SECRET

L'étude scientifique des fossiles n'a que 300 ans, même si, dès le Ve siècle avant notre ère, des philosophes grecs, comme Pythagore, semblent en avoir percé la vraie nature. Au Moyen Âge, les savants européens voient en eux le produit souterrain d'une mystérieuse « force plastique » *(vis plastica)*… mais dès le XVIe siècle, des naturalistes établissent qu'il s'agit de restes enfouis d'êtres vivants. Les fossiles permettront, dès lors, de résoudre certains problèmes géologiques comme l'âge de la Terre et des différentes roches, ainsi que des problèmes biologiques concernant l'évolution et l'extinction des espèces. Grâce à eux, les scientifiques augmentent sans cesse leur connaissance.

Frontispice du catalogue du musée du naturaliste suisse Johan Scheuchzer (1672-1733)

PIERRES-LANGUES

Les dents fossiles de requin provenant de rochers du Cénozoïque, du pourtour méditerranéen, étaient connues des naturalistes comme glossopètres, ou « pierres-langues » : ils pensaient qu'elles poussaient naturellement dans les roches, jusqu'à ce que leur véritable origine soit découverte.

NICOLAS STÉNON

De son vrai nom Niels Steensen (1638-1686), cet anatomiste et géologue danois travaillait à la cour de Florence, en Italie. Il fut l'un des premiers à découvrir la vraie nature des fossiles, démontrant, en 1667, que les dents d'un requin fraîchement pêché étaient semblables aux « pierres-langues ».

L'ARCHE DE NOÉ

La Bible nous raconte que Noé embarqua toutes les espèces animales à bord de son arche pour les sauver du Déluge. Aussi de nombreux savants, dont Sténon, ont-ils vu dans ce texte l'explication du transport et de l'enfouissement des fossiles : voilà pourquoi certains coquillages se retrouvaient sur des montagnes !

RECONSTITUTION

A partir d'ossements trouvés à Montmartre, dans des roches de l'Eocène, Cuvier a reconstitué un mammifère proche du tapir et l'a baptisé *Paloeotherium*.

Dents broyeuses d'herbivore

Mâchoire fossile de *Palœotherium*

GEORGES CUVIER

Naturaliste français, (1769-1832), il a apporté d'importantes contributions à l'histoire naturelle, dont les principes de base de l'anatomie comparée : subordination et corrélation des différentes parties du corps des animaux. De ces principes, il découle qu'à partir de traces d'os isolés, on peut maintenant reconstituer tout le reste du corps d'un animal et le représenter tel qu'il était vivant. Cuvier comprit aussi que de nombreux fossiles appartenaient à des espèces disparues et proposa une histoire de la Terre dans laquelle les formes initiales de la vie étaient détruites par des catastrophes, la dernière étant le déluge biblique.

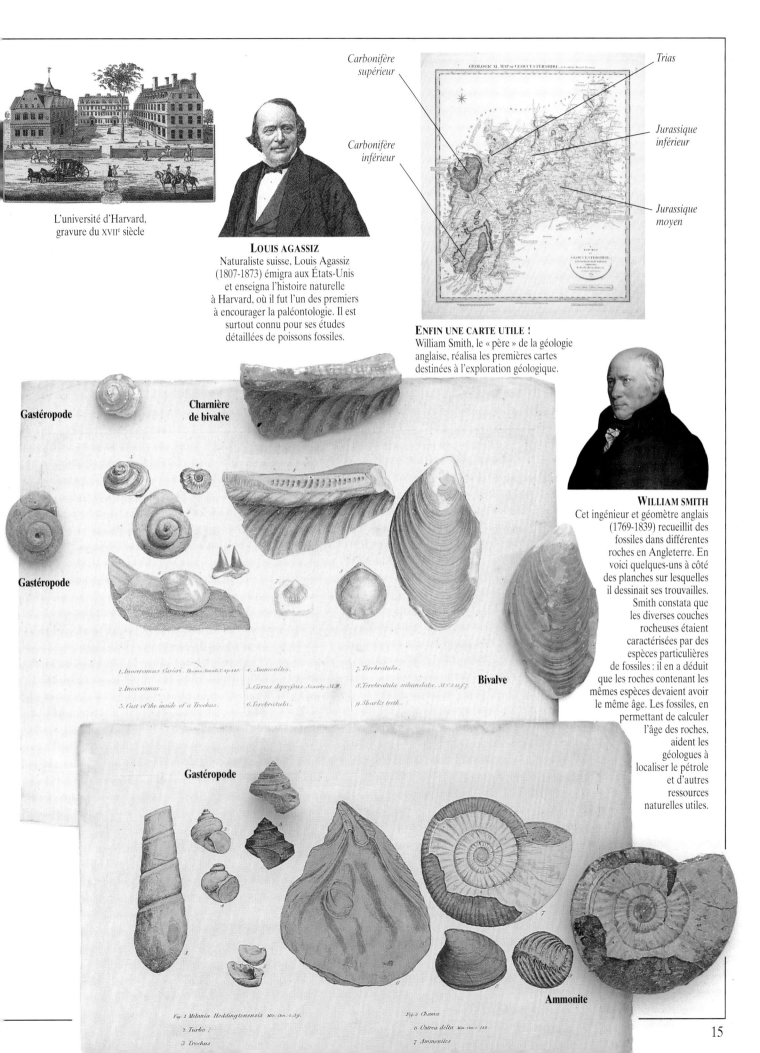

L'université d'Harvard,
gravure du XVIIᵉ siècle

LOUIS AGASSIZ
Naturaliste suisse, Louis Agassiz
(1807-1873) émigra aux États-Unis
et enseigna l'histoire naturelle
à Harvard, où il fut l'un des premiers
à encourager la paléontologie. Il est
surtout connu pour ses études
détaillées de poissons fossiles.

*Carbonifère
supérieur*

*Carbonifère
inférieur*

Trias

*Jurassique
inférieur*

*Jurassique
moyen*

ENFIN UNE CARTE UTILE !
William Smith, le « père » de la géologie
anglaise, réalisa les premières cartes
destinées à l'exploration géologique.

Gastéropode

**Charnière
de bivalve**

Gastéropode

1. *Inoceramus Cuvieri. Trans. Annals V. 4 p.440.* 4. *Ammonites.* 7. *Terebratula.*
2. *Inoceramus.* 5. *Cirrus depressus Sowerby. M.B.* 8. *Terebratula subundata. M.C. t.5 f.7*
3. *Cast of the inside of a Trochus.* 6. *Terebratula.* 9. *Sharks teeth.*

Bivalve

WILLIAM SMITH
Cet ingénieur et géomètre anglais
(1769-1839) recueillit des
fossiles dans différentes
roches en Angleterre. En
voici quelques-uns à côté
des planches sur lesquelles
il dessinait ses trouvailles.
Smith constata que
les diverses couches
rocheuses étaient
caractérisées par des
espèces particulières
de fossiles : il en a déduit
que les roches contenant les
mêmes espèces devaient avoir
le même âge. Les fossiles, en
permettant de calculer
l'âge des roches,
aident les
géologues à
localiser le pétrole
et d'autres
ressources
naturelles utiles.

Gastéropode

Fig. 1 Melania Heddingtonensis Min. Con. t. 39.
2 Turbo ?
3 Trochus.

Fig. 5 Chama
6 Ostrea delta Min. Con. t. 148.
7 Ammonites.

Ammonite

D'ÉTRANGES LÉGENDES COURENT ENCORE

Nombreuses sont les traditions populaires liées aux fossiles, objets de croyances, de légendes et de coutumes à travers le monde entier, depuis plus de 10 000 ans. Aujourd'hui encore, beaucoup de gens prêtent à certains fossiles des pouvoirs surnaturels ou médicinaux. Il semble que, très tôt, ceux-ci aient été appréciés pour leur rareté ou leur beauté naturelle. Leur origine, longtemps demeurée mystérieuse, a suscité d'étranges interprétations qui, entrées dans la tradition, se sont transmises de génération en génération.

Le Diable, vu par un artiste

LA GRIFFE DU DIABLE
La Gryphée, huître du Jurassique, possède une coquille allongée et épaisse, couramment appelée « ongle de pied du Diable ».

Tête de serpent sculptée

Pierre de serpent (ammonite)

Les armes de Whitby

PIERRES DE SERPENT
Les ammonites (pp. 28-29) de Whitby, en Grande-Bretagne, étaient, croyait-on, les restes de serpents enroulés, pétrifiés par sainte Hilda, une abbesse du VIIe siècle. Les artisans leur sculptaient des têtes pour répandre cette croyance. Trois ammonites figurent sur les armes de Whitby, comme sur cette pièce de monnaie ancienne.

Oursins fossiles

PIERRES MAGIQUES
Selon certaines légendes, les oursins fossiles étaient des pierres tombées du ciel pendant un orage ; selon d'autres, c'étaient des balles d'écume durcie produites au solstice d'été, par des serpents enlacés. Si on arrivait à les attraper, elles transmettaient les pouvoirs magiques qu'elles possédaient.

PIERRES DE CRAPAUD
On croyait jadis que les dents fossiles en forme de bouton du *Lepidotes*, un poisson du Mésozoïque (p. 35), provenaient de la tête des crapauds. D'où leur nom de crapaudines, ou de pierres de crapaud.

Gravure sur bois de 1497

LA LÉGENDE DES CRAPAUDINES
Pour être efficaces, les crapaudines, en réalité des dents fossiles de poisson, devaient être extraites de la tête d'un vieux crapaud vivant. Celui-ci était censé expulser ses pierres si on le posait sur un tissu rouge.

MÉDECINE MÉDIÉVALE
En Europe, au Moyen Âge, on prêtait aux crapaudines le pouvoir de guérir les empoisonnements et l'épilepsie.

Crapaudines

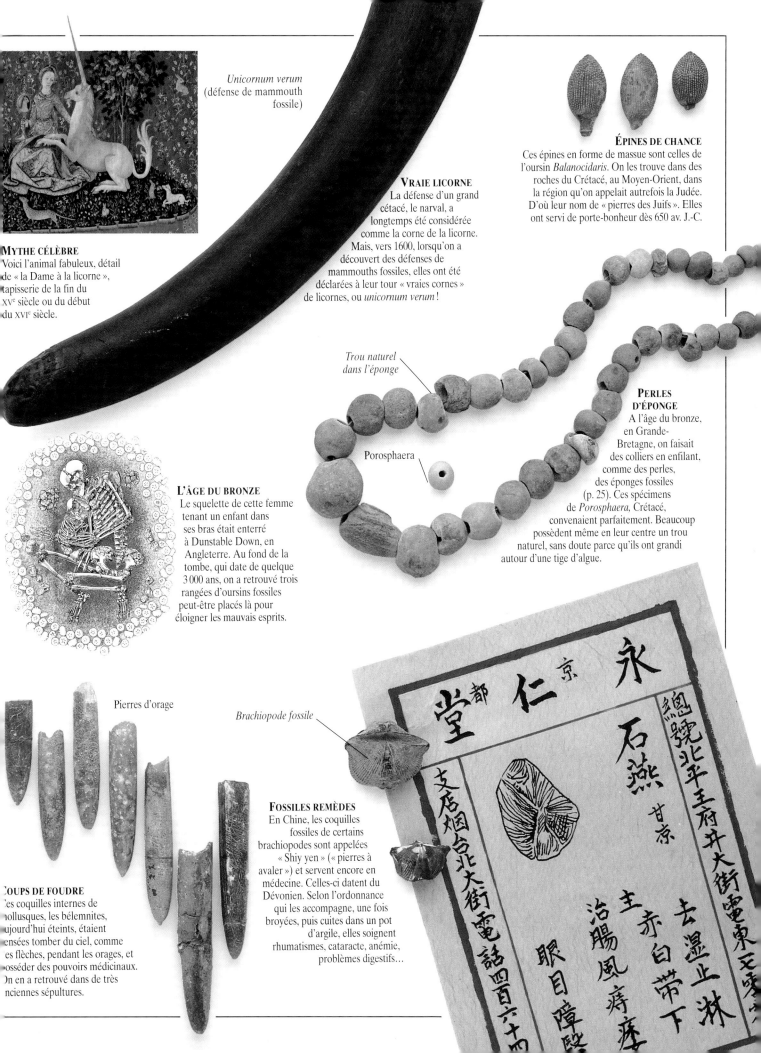

Unicornum verum
(défense de mammouth
fossile)

MYTHE CÉLÈBRE
Voici l'animal fabuleux, détail
de « la Dame à la licorne »,
tapisserie de la fin du
XVᵉ siècle ou du début
du XVIᵉ siècle.

VRAIE LICORNE
La défense d'un grand
cétacé, le narval, a
longtemps été considérée
comme la corne de la licorne.
Mais, vers 1600, lorsqu'on a
découvert des défenses de
mammouths fossiles, elles ont été
déclarées à leur tour « vraies cornes »
de licornes, ou *unicornum verum* !

ÉPINES DE CHANCE
Ces épines en forme de massue sont celles de
l'oursin *Balanocidaris*. On les trouve dans des
roches du Crétacé, au Moyen-Orient, dans
la région qu'on appelait autrefois la Judée.
D'où leur nom de « pierres des Juifs ». Elles
ont servi de porte-bonheur dès 650 av. J.-C.

*Trou naturel
dans l'éponge*

Porosphaera

**PERLES
D'ÉPONGE**
A l'âge du bronze,
en Grande-
Bretagne, on faisait
des colliers en enfilant,
comme des perles,
des éponges fossiles
(p. 25). Ces spécimens
de *Porosphaera*, Crétacé,
convenaient parfaitement. Beaucoup
possèdent même en leur centre un trou
naturel, sans doute parce qu'ils ont grandi
autour d'une tige d'algue.

L'ÂGE DU BRONZE
Le squelette de cette femme
tenant un enfant dans
ses bras était enterré
à Dunstable Down, en
Angleterre. Au fond de la
tombe, qui date de quelque
3 000 ans, on a retrouvé trois
rangées d'oursins fossiles
peut-être placés là pour
éloigner les mauvais esprits.

Pierres d'orage

Brachiopode fossile

COUPS DE FOUDRE
Ces coquilles internes de
mollusques, les bélemnites,
aujourd'hui éteints, étaient
pensées tomber du ciel, comme
des flèches, pendant les orages, et
posséder des pouvoirs médicinaux.
On en a retrouvé dans de très
anciennes sépultures.

FOSSILES REMÈDES
En Chine, les coquilles
fossiles de certains
brachiopodes sont appelées
« Shiy yen » (« pierres à
avaler ») et servent encore en
médecine. Celles-ci datent du
Dévonien. Selon l'ordonnance
qui les accompagne, une fois
broyées, puis cuites dans un pot
d'argile, elles soignent
rhumatismes, cataracte, anémie,
problèmes digestifs…

QUELS SERONT LES FOSSILES DE DEMAIN?

Les fossiles ne représentent qu'un échantillonnage restreint du passé : beaucoup d'espèces vivantes qui ne possédaient pas de parties dures se sont complètement décomposées ; pour d'autres qui vivaient, par exemple, à la cime des arbres, l'ensevelissement – et donc la fossilisation – était rarissime. Pour bien comprendre cette sélection naturelle, cherchons, dans une communauté actuelle, quelles plantes et quels animaux pourraient devenir les fossiles de demain.

Œuf de raie

Etoile de mer palmée

Ophiure

Coquilles Saint-Jacques

Maquereaux

Buccin

Etoile de mer épineuse

Crevettes

Poche d'œufs de buccin

Etoile de mer commu...

Eponge

Taupe de mer

Colonie de bryozoaires

Arêtes de maquereaux

UN LOCATAIRE DE PASSAGE

Le bernard-l'ermite ne laissera pas de trace de son existence. N'ayant pas de coquille à lui, il loge dans celle que les bigorneaux abandonnent. Son corps, très mou, s'adapte à cet habitacle hélicoïdal. Malgré leur dureté, ses pinces sont rarement fossilisées, la matière organique qu'elles contiennent provoquant sans doute leur décomposition. Mais quand vous regardez une coquille d'escargot fossile, pensez qu'elle a peut-être abrité deux êtres, un mollusque et un bernard-l'ermite.

Dents de
chien de mer

Carapace
de crabe

Coquilles Saint-Jacques

Coquille de buccin

Test d'oursin comestible

Test d'oursin
vert

Chien de mer

DANS LES FILETS

Les espèces aquatiques deviennent souvent fossiles : dans les mers, les lacs ou les rivières, elles ont toutes les chances d'être enfouies dans les fonds vaseux ou sablonneux.
La plupart de ces espèces marines courantes vivaient au fond de l'eau : oursins, étoiles de mer, ophiure, coquilles Saint-Jacques, bigorneau, petit crabe, éponge, ver, colonies de bryozoaires et d'hydroïdes. Poissons et crevettes nageaient un peu au-dessus du fonds.

Squelette d'étoile
de mer commune

Squelette d'étoile
de mer palmée

Squelette d'étoile
de mer épineuse

CE QU'IL EN RESTE

Les parties dures des animaux sont les plus susceptibles de se fossiliser. Sur la page de gauche, les algues et un bon nombre d'animaux ont, aujourd'hui, complètement disparu. D'autres n'ont laissé que très peu de traces : ainsi ne reste-t-il que les dents du chien de mer, car son squelette cartilagineux n'est guère résistant. Les oursins, les étoiles de mer, l'ophiure, le crabe et les bryozoaires avaient des squelettes résistants mais constitués d'éléments séparés : les tissus mous qui les agrégeaient se sont décomposés et ils se sont disloqués. Seuls le bigorneau et les coquilles Saint-Jacques n'ont subi que peu de changements apparents.

Squelette
d'ophiure

Squelettes
de bryozoaires

Oursin
comestible

Colonie d'hydroïdes

Oursin vert

Poche
d'œufs de
chien de mer

Crabe

SANS LAISSER DE TRACES

Souvent les animaux et les plantes qui vivent et meurent sur terre pourrissent complètement avant d'avoir eu le temps d'être fossilisés. La fourrure et la chair de cette carcasse de renne, photographiée dans l'Arctique, commencent à se détacher des os. A moins d'être enfouies par hasard, elles ont toutes les chances de se désintégrer.

ON TROUVE PARFOIS DES TRÉSORS

Habituellement, les parties molles des animaux se décomposent, mais il existe des cas exceptionnels de fossilisation d'animaux à corps entièrement mou. La chair fossilisée est une source de renseignements bien plus précieuse que les os, les dents ou les coquilles. Ainsi les extraordinnaires fossiles humains de Pompéi, en Italie, ou de Grauballe, au Danemark, sont-ils de véritables trésors d'informations.

Traces de peau

L'image de la grenouille...   et son double

DÉDOUBLÉE

On voit ici les contours d'un corps de grenouille. Même les traces de peau et de tissus charnus ont été conservées. Ce type de fossile double est dû au fait que la roche s'est délitée en séparant l'animal en deux.

PIÈGE GLUANT

Des animaux, comme cette araignée, sont souvent incrustés dans l'ambre jaune, résine fossilisée d'une ancienne plante : pris au piège de la résine gluante qui coulait le long des troncs ou des tiges, ils se sont ainsi conservés pendant des millions d'années.

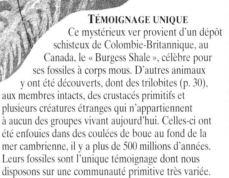

TÉMOIGNAGE UNIQUE

Ce mystérieux ver provient d'un dépôt schisteux de Colombie-Britannique, au Canada, le « Burgess Shale », célèbre pour ses fossiles à corps mous. D'autres animaux y ont été découverts, dont des trilobites (p. 30), aux membres intacts, des crustacés primitifs et plusieurs créatures étranges qui n'appartiennent à aucun des groupes vivant aujourd'hui. Celles-ci ont été enfouies dans des coulées de boue au fond de la mer cambrienne, il y a plus de 500 millions d'années. Leurs fossiles sont l'unique témoignage dont nous disposons sur une communauté primitive très variée.

INSECTE EXCEPTIONNEL

Cette délicate libellule a été ensevelie dans de la boue qui a durci pour former les calcaires de Solenhofen, en Bavière (Allemagne), site renommé pour ses fossiles exceptionnels.

LA PEAU ET LES OS

On retrouve parfois des carcasses congelées de mammouths laineux dans le sol sibérien, gelé en permanence. Ces grands animaux ont dû être piégés et gelés en tombant dans des crevasses de glaciers. Chez certains, le contenu de l'estomac s'est conservé. Les mammouths vivaient à la période glaciaire des deux derniers millions d'années. Ils se sont éteints voici environ 12 000 ans, la plus grande espèce atteignait plus de 4 m au garrot.

VOLCAN ACTIF

Le Vésuve, en Italie, est souvent entré en éruption. La dernière remonte à 1944 mais on ne pense pas qu'il soit éteint.

Moulage d'un corps à Pompéi

SOUS LES CENDRES VOLCANIQUES

Lors de la terrible éruption du Vésuve, en 79, les habitants de Pompéi et d'Herculanum, n'ayant pas eu le temps de s'enfuir, ont été ensevelis sous des avalanches de cendres et de débris volcaniques. Les cendres ont durci autour des corps qui ont formé, après décomposition, des cavités. Mises au jour et remplies de plâtre, comme des moules, elles ont révélé les positions atroces des victimes. On a aussi retrouvé les squelettes d'animaux familiers.

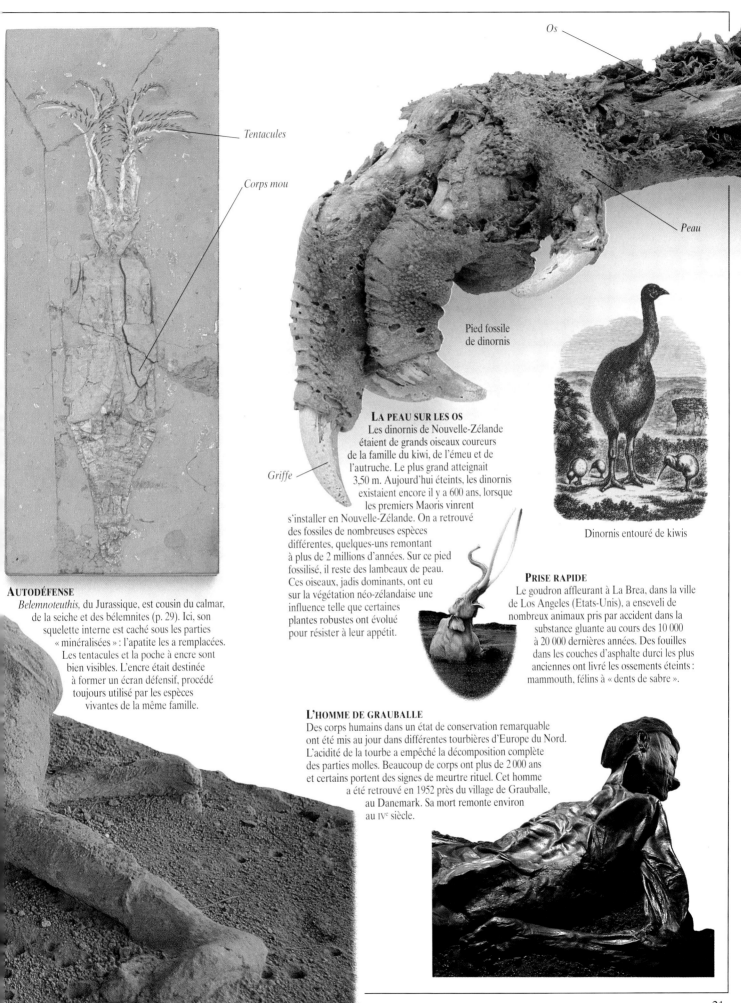

Os

Tentacules

Corps mou

Peau

Pied fossile
de dinornis

LA PEAU SUR LES OS
Les dinornis de Nouvelle-Zélande
étaient de grands oiseaux coureurs
de la famille du kiwi, de l'émeu et de
l'autruche. Le plus grand atteignait
3,50 m. Aujourd'hui éteints, les dinornis
existaient encore il y a 600 ans, lorsque
les premiers Maoris vinrent
s'installer en Nouvelle-Zélande. On a retrouvé
des fossiles de nombreuses espèces
différentes, quelques-uns remontant
à plus de 2 millions d'années. Sur ce pied
fossilisé, il reste des lambeaux de peau.
Ces oiseaux, jadis dominants, ont eu
sur la végétation néo-zélandaise une
influence telle que certaines
plantes robustes ont évolué
pour résister à leur appétit.

Griffe

Dinornis entouré de kiwis

PRISE RAPIDE
Le goudron affleurant à La Brea, dans la ville
de Los Angeles (Etats-Unis), a enseveli de
nombreux animaux pris par accident dans la
substance gluante au cours des 10 000
à 20 000 dernières années. Des fouilles
dans les couches d'asphalte durci les plus
anciennes ont livré les ossements éteints :
mammouth, félins à « dents de sabre ».

AUTODÉFENSE
Belemnoteuthis, du Jurassique, est cousin du calmar,
de la seiche et des bélemnites (p. 29). Ici, son
squelette interne est caché sous les parties
« minéralisées » : l'apatite les a remplacées.
Les tentacules et la poche à encre sont
bien visibles. L'encre était destinée
à former un écran défensif, procédé
toujours utilisé par les espèces
vivantes de la même famille.

L'HOMME DE GRAUBALLE
Des corps humains dans un état de conservation remarquable
ont été mis au jour dans différentes tourbières d'Europe du Nord.
L'acidité de la tourbe a empêché la décomposition complète
des parties molles. Beaucoup de corps ont plus de 2 000 ans
et certains portent des signes de meurtre rituel. Cet homme
a été retrouvé en 1952 près du village de Grauballe,
au Danemark. Sa mort remonte environ
au IVe siècle.

IL Y A DE GRANDS JARDINS SOUS LES MERS...

Les coraux aux tentacules colorés, ou polypes, ressemblent aux fleurs d'un jardin sous-marin. Solitaires ou en colonies, ils vivent surtout dans les eaux tropicales peu profondes et chaudes, se nourrissant de plancton et d'algues microscopiques qui continuent à vivre dans leur corps et leur fournissent des éléments nutritifs. Les coraux fossiles, dont les plus anciens se trouvent dans les roches de l'Ordovicien, sont fréquents car, sous les polypes à corps mou, se trouve un squelette calcaire dur. Mais les anémones de mer et les méduses, qui en sont dépourvues, sont rarement fossilisées.

PÊCHE AU CORAIL
Pêché pour sa beauté, le corail est utilisé en bijouterie.

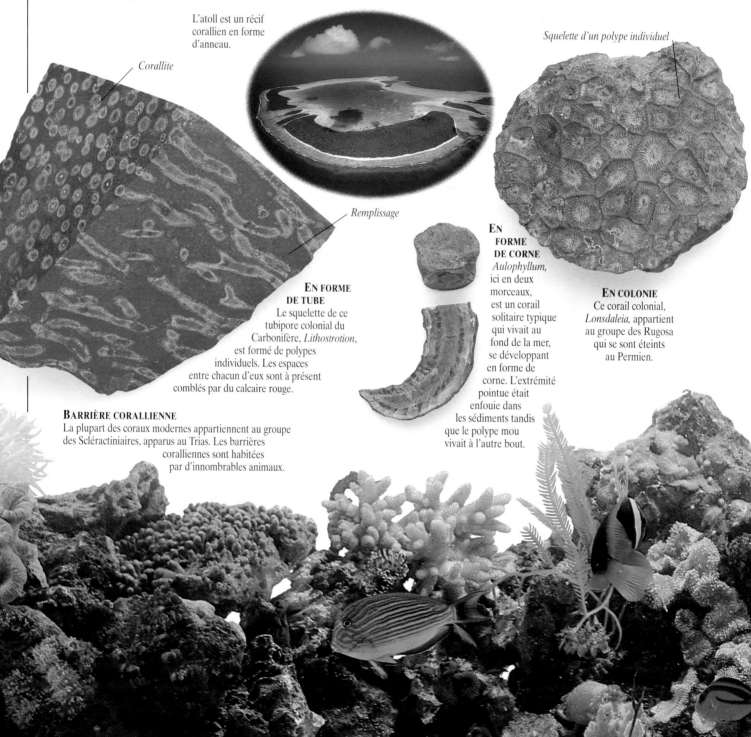

L'atoll est un récif corallien en forme d'anneau.

Corallite

Remplissage

Squelette d'un polype individuel

EN FORME DE TUBE
Le squelette de ce tubipore colonial du Carbonifère, *Lithostrotion*, est formé de polypes individuels. Les espaces entre chacun d'eux sont à présent comblés par du calcaire rouge.

EN FORME DE CORNE
Aulophyllum, ici en deux morceaux, est un corail solitaire typique qui vivait au fond de la mer, se développant en forme de corne. L'extrémité pointue était enfouie dans les sédiments tandis que le polype mou vivait à l'autre bout.

EN COLONIE
Ce corail colonial, *Lonsdaleia*, appartient au groupe des Rugosa qui se sont éteints au Permien.

BARRIÈRE CORALLIENNE
La plupart des coraux modernes appartiennent au groupe des Scléractiniaires, apparus au Trias. Les barrières coralliennes sont habitées par d'innombrables animaux.

Les zones autrefois occupées par des tissus sont remplies de sédiment clair.

EN CHAÎNE
Le polypier de ce corail du Silurien, *Halysites*, est disposé en longs rubans ramifiés.

Branche de polypier

Vallée de corail sinueuse

CERVEAUX
Les colonies de méandrines forment des vallées sinueuses qui ressemblent à des cerveaux humains avec, parfois, une seule bouche pour tous les polypes. La coupe horizontale de cet échantillon du Miocène permet d'en voir l'intérieur.

RECORD DU MONDE
Sur ce fragment fossilisé de *Galaxea*, un corail formant des barrières, la structure des squelettes individuels est bien visible. Le plus grand corail du monde – 16 m de circonférence – est une colonie de *Galaxea* qui se trouve à Okinawa, une île japonaise.

BUISSON
Dans les colonies de ce corail *Thamnopora*, en forme de buisson, les polypiers s'ouvrent tous à la surface des branches. Sur cette coupe horizontale, les contours de la colonie se détachent nettement.

Squelette individuel d'un polype

Fungia fossile

SOLITAIRES
Ces fossiles inhabituels sont les squelettes délicats de coraux solitaires qui vivaient au fond de la mer, *Stephanophyllia* et *Fungia*, respectivement du Pliocène et du Pléistocène. Les squelettes de *Fungia*, comme leur nom l'indique, ressemblent au dessous des champignons.

SQUELETTES REMPLACÉS
Les squelettes de certains coraux fossiles sont en aragonite, qui se dissout facilement en cours de fossilisation. Chez cette colonie de *Thecosmilia*, ils ont été remplacés par de la silice.

Squelette remplacé par de la silice

Stephanophyllia fossile

... PEUPLÉS D'ANIMAUX INCONNUS

Parmi les fossiles les plus courants, on trouve ceux des animaux et des plantes qui vivaient au fond de la mer, là où le sable et la vase se déposaient régulièrement. La plupart d'entre eux possédaient des parties dures qui résistaient à la décomposition et se fossilisaient. Inaptes à se déplacer, ils n'ont pas pu échapper à l'enfouissement. Ainsi des bryozoaires et des brachiopodes, qui existent encore. Mais on connaît seulement 250 espèces vivantes des seconds alors que 30 000 espèces fossiles ont été découvertes.

PROCHES VOISINS
On peut comparer les colonies de bryozoaires à des constructions abritant des logements identiques.

Trous à travers lesquels eau et particules de nourriture sont pompées

Pompe à eau d'Archimède

LA VIS D'ARCHIMÈDE
On appelle ainsi ces bryozoaires du Carbonifère, à cause de leur forme très particulière qui évoque la vis sans fin inventée par le philosophe grec pour tirer l'eau.

HABITAT COLLECTIF
Ces bryozoaires modernes, *Hornera*, offrent un abri aux vers, aux petits poissons et à beaucoup d'autres animaux marins.

Chaque colonie est constituée d'au moins 200 individus.

Ces colonies de bryozoaires du Crétacé ne sont pas fixées à un support.

Squelettes d'un individu

AGRANDISSEMENT
Ces squelettes calcaires de bryozoaires en colonie ont été très grossis.

COLONIES CALCAIRES
Les minuscules bryozoaires au squelette calcaire vivent par dizaines, centaines ou milliers, en colonies aux formes changeantes. Certaines s'étalent sur des coquillages ou des algues, d'autres poussent à la verticale et ressemblent à des filets.

DE LA DENTELLE
Les fragments de bryozoaires que l'on voit dans ce schiste de l'Ordovicien ressemblent à de la dentelle.

BETTERAVE DE PIERRE
La couleur rouge de l'algue *Solenopora*, du Jurassique, subsiste parfois. En Angleterre, ces fossiles sont surnommés betteraves de pierre.

Trou du pédoncule

Brachiopode fossile

Trou de la mèche

Lampe romaine

MONTÉS SUR PÉDONCULE

Les brachiopodes sont parfois confondus avec les mollusques bivalves (p. 26). Leurs parties molles sont pourtant très différentes et les deux types de coquilles faciles à distinguer : chez les bivalves, les valves sont de contour asymétrique, chacune étant la copie inversée de l'autre ; chez les brachiopodes, elles ont un contour symétrique, mais l'une est plus grande que l'autre. Un trou à l'extrémité de la coquille marque l'emplacement du pédoncule qui leur servait à se fixer.

COQUILLAGES AILÉS
Les spirifers, brachiopodes fossiles, étaient pourvus de supports internes en spirale (pour s'alimenter), soutenus par un squelette fragile.

Spirifers

Brachiopode du Crétacé vu de côté

Plus grande valve

Valves symétriques

Trou pour le pédoncule

Brachiopodes modernes

MODERNES ET EN COULEURS
Ces brachiopodes modernes rouges sont très semblables à ceux du Crétacé, qui se sont sans doute décolorés en cours de fossilisation.

Squelette de nummulite

COQUILLAGE-LAMPE
En Grande-Bretagne, les brachiopodes sont surnommés coquillages-lampes à cause de leur ressemblance avec les anciennes lampes romaines : le trou du pédoncule est comme celui de la mèche.

Eponge fossile *Siphonia* polie

Eponge rameuse moderne

LES SQUELETTES DES PYRAMIDES
Les blocs de calcaire des pyramides de Gizeh, en Egypte, sont constitués de squelettes de *Nummulites*.

Pyramides de l'Egypte ancienne

Eponge fossile en forme de t 'lipe

ÉPONGES FOSSILES
Les éponges sont un groupe primitif d'animaux marins qui absorbent l'eau et en retirent les particules nutritives. Leur squelette est constitué de petits spicules susceptibles de se fossiliser. Les premières éponges fossiles remontent au Cambrien.

COUPE EN ÉPONGE
Les squelettes d'éponges aux spicules agrégés sont parfois conservés intacts, comme ce spécimen du Crétacé.

Eponge fossile en forme de coupe

Squelette d'éponge traité et devenu éponge de toilette

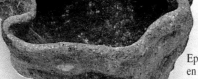

LES ESCARGOTS SONT RESTÉS DANS LEUR COQUILLE

Les mollusques, des animaux marins dotés de coquilles, sont apparus au début du Cambrien, il y a quelque 540 millions d'années. Les gastéropodes, ou escargots, les bivalves comme les praires, les moules et les huîtres, en sont les représentants les plus familiers mais il en existe d'autres sortes, comme les chitons ou les céphalopodes. La coquille des bivalves est en deux parties, ou valves, jointes par une charnière, tandis que celle des gastéropodes est d'un seul tenant. Mais toutes peuvent se fossiliser.

VÉNUS
La déesse Vénus est représentée sortant d'une coquille Saint-Jacques.

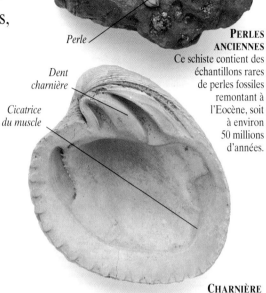

Perle

PERLES ANCIENNES
Ce schiste contient des échantillons rares de perles fossiles remontant à l'Eocène, soit à environ 50 millions d'années.

Dent charnière

Cicatrice du muscle

CHARNIÈRE
Du vivant de ce coquillage, *Venericardia*, un spécimen de l'Eocène, des dents charnières tenaient jointes ses deux valves.

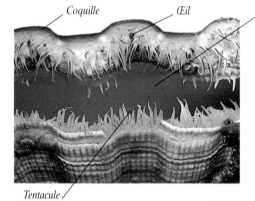

Coquille

Œil

Bouche

LE DÎNER DE LA COQUILLE SAINT-JACQUES
Dans les tissus mous, près des bords, les coquilles Saint-Jacques ont des yeux nombreux, pourvus chacun d'un cristallin bien développé. Leurs valves, jointes par une charnière, peuvent s'ouvrir. Pour se nourrir, elles provoquent un courant d'eau avec leurs branchies et les particules comestibles qui s'y trouvent sont alors dirigées vers la bouche.

Tentacule sensoriel

HUÎTRE ÉPINEUSE
Les épines des huîtres *Spondylus* – dont ce spécimen du Pliocène – permettent aux éponges et à d'autres animaux de s'incruster sur leurs coquilles, les protégeant ainsi des prédateurs.

Strie saillante

VALVES SÉPARÉES
Ces coquilles fossilisées, l'une plate, l'autre convexe, sont celles d'une coquille Saint-Jacques du Pliocène, *Pecten*. Les stries des deux s'emboîtent mais, le ligament charnière s'étant décomposé, les coquilles sont en général séparées.

PRIÈRE GRAVÉE
Une prière en arabe a été gravée sur ces curieux fossiles qui sont les moules internes (p. 6) de bivalves, c'est-à-dire des sédiments pétrifiés entre les valves.

Cône vivant

Cône fossile

Natice vivante

Natices fossiles

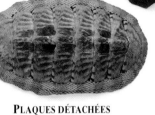

Siphon

Pied

MOLLASSON
Cet escargot de mer moderne émerge de sa coquille et l'on distingue nettement les différentes parties de son corps mou.

Escargot moderne

DÉCOLORÉS
Les gastéropodes vivants, surtout sous les Tropiques, ont souvent des couleurs brillantes dues aux pigments, qui sont des substances chimiques de leur coquille. Malheureusement, ceux-ci sont presque toujours détruits au cours de la fossilisation.

LA RONDE DES SPIRALES
Les coquilles de gastéropodes sont de formes diverses mais toutes s'ouvrent à une extrémité et s'arrondissent généralement en spirale, enroulée tantôt à gauche, tantôt à droite, lâche ou serrée, régulière ou irrégulière, selon les espèces. La coquille de l'escargot d'eau douce *Planorbis* est presque plate tandis que celle de *Turritella* est pointue.

Spirale

Turritella fossile

COMME DES VERS
Les vermets sont des gastéropodes peu courants qui vivent fixés à des surfaces dures, souvent en groupes, comme ces fossiles. Ils ressemblent à des vers et leurs coquilles sont enroulées de façon irrégulière.

Chiton fossile

Chiton moderne

PLAQUES DÉTACHÉES
Les chitons sont un petit groupe de mollusques marins dont les coquilles sont constituées de huit plaques. Leurs fossiles sont rares et les plaques en sont séparées.

SYMÉTRIQUE
Tubina est un type de mollusque dévonien très rare appartenant à un groupe aujourd'hui éteint, les bellérophontacés. Sa coquille, symétrique, n'a pas subi de torsion. On ne sait pas s'il s'agissait vraiment d'un gastéropode car son corps mou ne s'est pas conservé.

Spirale enroulée à gauche

Spirale enroulée à droite

Canal siphonal

À DROITE OU À GAUCHE
La plupart des gastéropodes, comme *Neptunea despecta*, ont une coquille à spirale enroulée à droite, mais celle de *Neptunea contraria* est enroulée à gauche.

Neptunea contraria fossile

Neptunea despecta fossile

RESPIRATION
La coquille pointue de *Fusinus* est prolongée par un canal siphonal par lequel elle respirait.

Pointe

Dessous

Planorbis fossile

Coquille d'ammonite
remplacée
par de la pyrite

MOTIF DÉCORATIF
La forme harmonieuse
des ammonites est
souvent utilisée en
décoration. Cette colonne
de maison en terrasses, à
Brighton, en Angleterre,
est l'œuvre de l'architecte
Amon !

LES CÉPHALOPODES
ÉTAIENT INTELLIGENTS

La pieuvre, le calmar et la seiche sont les
représentants modernes d'un groupe de
mollusques marins, les céphalopodes,
qui ont laissé un riche héritage
de fossiles. Considérés comme
les mollusques les plus développés,
avec leurs tentacules garnis de ventouses,
leurs yeux remarquablement semblables
à ceux des vertébrés supérieurs et leur capacité
à apprendre et à se servir de leur intelligence,
ce sont d'actifs prédateurs qui se déplacent
très vite dans l'eau grâce à un système de
propulsion par réaction. Les céphalopodes
modernes ont presque tous une coquille
interne entièrement recouverte de parties
molles. Mais, comme le nautile actuel,
beaucoup de fossiles, dont les
ammonites, avaient des coquilles
externes comme les escargots,
mais divisées en loges.

INFORMATEUR
Le nautile, le plus proche cousin moderne
des ammonites, est une source d'informations
précieuses sur ce groupe éteint. Actif seulement
la nuit, il vit dans l'océan Pacifique à des
profondeurs allant de 5 à 550 m. Il se nourrit
de poissons et de crustacés qu'il mange
grâce à un bec dur.

*Coquille divisée en
loges cloisonnées*

Dernière loge

*Ligne de suture
complexe*

Ammonites

DE TOUTES LES TAILLES
Certaines ammonites du Mésozoïque
atteignaient des tailles gigantesques.
Ce grand spécimen d'environ 30 cm
de large ne peut toutefois rivaliser
avec ceux qui mesuraient 2 m
de diamètre.

*Ligne de suture
simple*

Nautiloïdes fossiles

AUX PREMIÈRES LOGES
Les ammonites et les nautiloïdes fossiles ont
des coquilles en spirale divisées en une série
de loges cloisonnées. Seule la dernière, près
de l'ouverture, était occupée par l'animal.
Celui-ci se fabriquait une nouvelle loge au
fur et à mesure qu'il grandissait. Les autres
étaient remplies d'un mélange de liquide
et de gaz, renouvelé par un siphon, et dont
les proportions variaient selon que l'animal
voulait remonter ou s'enfoncer dans l'eau.

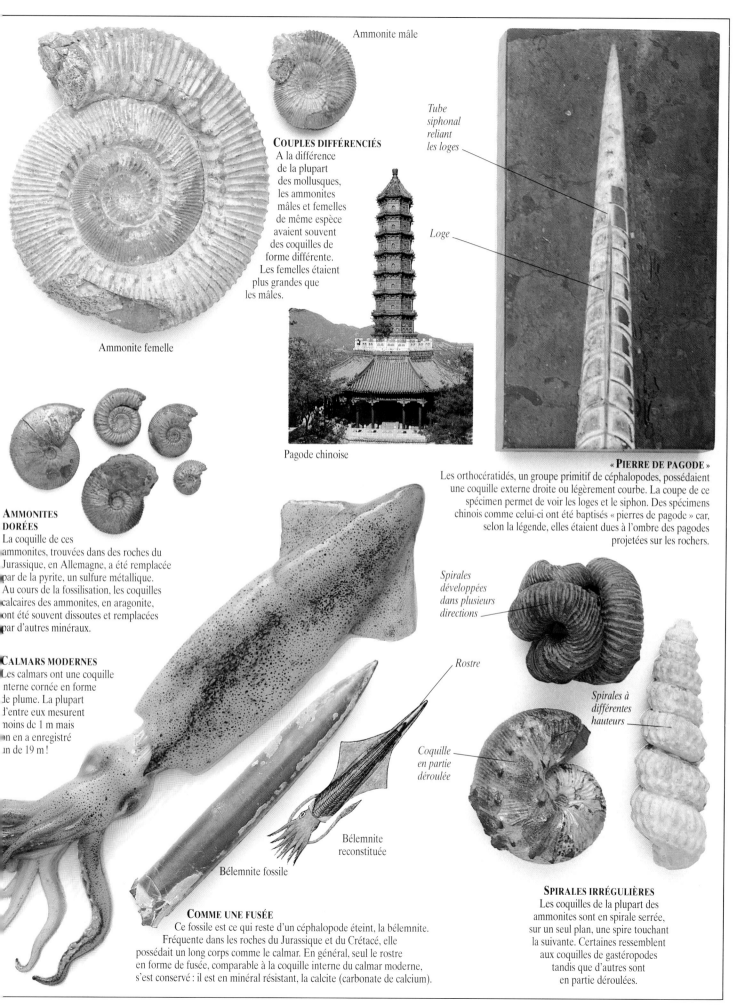

Ammonite mâle

COUPLES DIFFÉRENCIÉS
A la différence de la plupart des mollusques, les ammonites mâles et femelles de même espèce avaient souvent des coquilles de forme différente. Les femelles étaient plus grandes que les mâles.

Ammonite femelle

Pagode chinoise

Tube siphonal reliant les loges

Loge

« PIERRE DE PAGODE »
Les orthocératidés, un groupe primitif de céphalopodes, possédaient une coquille externe droite ou légèrement courbe. La coupe de ce spécimen permet de voir les loges et le siphon. Des spécimens chinois comme celui-ci ont été baptisés « pierres de pagode » car, selon la légende, elles étaient dues à l'ombre des pagodes projetées sur les rochers.

AMMONITES DORÉES
La coquille de ces ammonites, trouvées dans des roches du Jurassique, en Allemagne, a été remplacée par de la pyrite, un sulfure métallique. Au cours de la fossilisation, les coquilles calcaires des ammonites, en aragonite, ont été souvent dissoutes et remplacées par d'autres minéraux.

CALMARS MODERNES
Les calmars ont une coquille interne cornée en forme de plume. La plupart d'entre eux mesurent moins de 1 m mais on en a enregistré un de 19 m !

Spirales développées dans plusieurs directions

Rostre

Spirales à différentes hauteurs

Coquille en partie déroulée

Bélemnite reconstituée

Bélemnite fossile

COMME UNE FUSÉE
Ce fossile est ce qui reste d'un céphalopode éteint, la bélemnite. Fréquente dans les roches du Jurassique et du Crétacé, elle possédait un long corps comme le calmar. En général, seul le rostre en forme de fusée, comparable à la coquille interne du calmar moderne, s'est conservé : il est en minéral résistant, la calcite (carbonate de calcium).

SPIRALES IRRÉGULIÈRES
Les coquilles de la plupart des ammonites sont en spirale serrée, sur un seul plan, une spire touchant la suivante. Certaines ressemblent aux coquilles de gastéropodes tandis que d'autres sont en partie déroulées.

VOILÀ L'ARMURE DES ARTHROPODES

Insectes, araignées, crabes, scorpions, langoustes, crevettes appartiennent à un groupe majeur, les arthropodes, mot venu du grec, qui signifie « pied articulé ». Leurs espèces, extrêmement variées et adaptées à la vie dans la mer, sur terre et dans les airs, se fossilisent rarement. Elles ont des membres articulés, un corps segmenté et une carapace externe, qu'on appelle exosquelette, dont elles se dépouillent périodiquement, tout au long de la croissance, en en sécrétant un nouveau. Celui-ci est parfois imprégné de calcite, un élément minéral qui l'empêche de se décomposer. C'est donc cette armure externe que l'on retrouve le plus fréquemment fossilisée.

MONTÉ SUR OR
Les trilobites sont très prisés. Ce spécimen silurien, *Calymene*, a été monté sur une broche en or au XIXᵉ siècle.

PETITS
La plupart des trilobites, comme ces spécimens d'*Elrathia,* ne mesurent que de 3 à 10 cm.

Sans yeux

Avec des yeux

Trilobite *Dalmanites*

Trilobite *Conocoryphe*

VOIR OU NE PAS VOIR ?
Il existait dans la mer plus de 10 000 espèces de trilobites, aujourd'hui éteintes. La plupart jouissaient sans doute d'une très bonne vue et leurs yeux, en calcite minérale, se sont parfois conservés. D'autres en étaient dépourvus car ils évoluaient dans les profondeurs, au-delà de la limite où pénètre la lumière naturelle.

Mille-pattes moderne

Mille-pattes fossile

PREMIERS COLONS
Comme tous les arthropodes, les mille-pattes ont le corps divisé en anneaux, ou segments, et vivent sur terre, contrairement à tous ceux qui figurent sur cette page. Rarement fossilisés, ils sont parmi les premiers animaux terrestres.

Lentilles en « nid d'abeille »

MULTI-VISION
Le système de vision le plus ancien que nous connaissons est celui des trilobites, composé de lentilles distinctes jointes en « nid d'abeille ».

Echinocaris, arthropode dévonien à l'allure de crevette

COMME LES CLOPORTES
Certains trilobites s'enroulaient comme des cloportes, sans doute pour se protéger des prédateurs.

TRILOBÉS
Le nom de trilobites vient de ce que la carapace de ces crustacés fossiles est constituée de trois parties – ou lobes – distinctes. Leurs pattes inférieures et leurs parties molles sont rarement conservées : les trilobites complets sont exceptionnels. On en trouve cependant dans des roches allant du Cambrien au Permien, c'est-à-dire de 540 à 245 millions d'années. Ils se sont éteints ensuite. Celui-ci, *Paradoxides,* date du Cambrien. C'était l'un des plus gros : il pouvait mesurer jusqu'à 50 cm de long.

Longs piquants

SPÉCIMEN PIQUANT
Ce trilobite dévonien, *Dicranurus*, a de longs piquants remarquablement conservés.

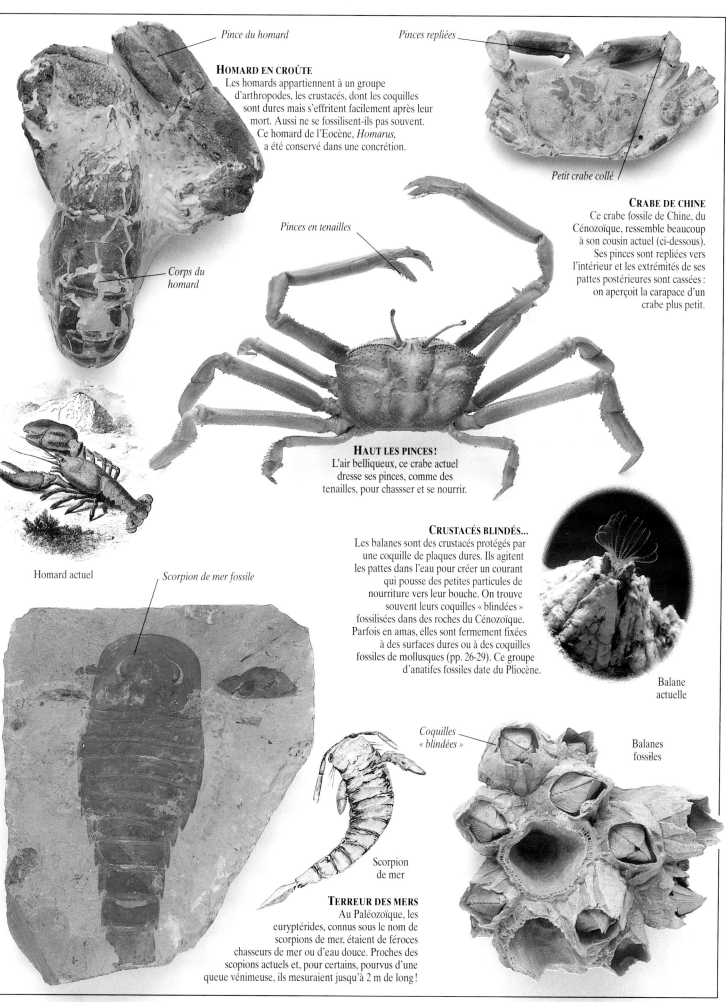

HOMARD EN CROÛTE
Les homards appartiennent à un groupe
d'arthropodes, les crustacés, dont les coquilles
sont dures mais s'effritent facilement après leur
mort. Aussi ne se fossilisent-ils pas souvent.
Ce homard de l'Eocène, *Homarus,*
a été conservé dans une concrétion.

Pince du homard

Pinces repliées

Petit crabe collé

CRABE DE CHINE
Ce crabe fossile de Chine, du
Cénozoïque, ressemble beaucoup
à son cousin actuel (ci-dessous).
Ses pinces sont repliées vers
l'intérieur et les extrémités de ses
pattes postérieures sont cassées :
on aperçoit la carapace d'un
crabe plus petit.

Pinces en tenailles

*Corps du
homard*

HAUT LES PINCES !
L'air belliqueux, ce crabe actuel
dresse ses pinces, comme des
tenailles, pour chassser et se nourrir.

Homard actuel

Scorpion de mer fossile

CRUSTACÉS BLINDÉS...
Les balanes sont des crustacés protégés par
une coquille de plaques dures. Ils agitent
les pattes dans l'eau pour créer un courant
qui pousse des petites particules de
nourriture vers leur bouche. On trouve
souvent leurs coquilles « blindées »
fossilisées dans des roches du Cénozoïque.
Parfois en amas, elles sont fermement fixées
à des surfaces dures ou à des coquilles
fossiles de mollusques (pp. 26-29). Ce groupe
d'anatifes fossiles date du Pliocène.

Balane
actuelle

*Coquilles
« blindées »*

Balanes
fossiles

Scorpion
de mer

TERREUR DES MERS
Au Paléozoïque, les
euryptérides, connus sous le nom de
scorpions de mer, étaient de féroces
chasseurs de mer ou d'eau douce. Proches des
scopions actuels et, pour certains, pourvus d'une
queue vénimeuse, ils mesuraient jusqu'à 2 m de long !

LES ÉCHINODERMES SONT TOUJOURS RAYONNANTS

Les échinodermes forment un groupe bien distinct d'animaux marins auquel appartiennent les oursins (échinides), les lis de mer (crinoïdes), les étoiles de mer (astérides) et les ophiurides. La plupart sont caractérisés par une symétrie rayonnante d'ordre 5, c'est-à-dire que leur corps se divise en cinq secteurs. Depuis le Cambrien, ils se sont souvent fossilisés grâce à la calcite résistante qui constitue leur squelette. Celui-ci se compose de petits éléments, chacun étant un unique cristal de calcite. Leur conservation n'est possible que s'ils sont rapidement enfouis, car ils se séparent et se dispersent dès que l'animal meurt.

Ophiure

Bras dé entre

ENTERRÉES VIVANTES
Ces cinq ophiures fossiles aux bras entrelacés – un spécimen exceptionnel du Jurassique – ont dû être enterrées vivantes car, habituellement, les plaques du squelette sont éparpillées tout de suite après la mort. Elles ressemblent à des étoiles de mer mais sont plus délicates, avec des bras très fragiles.

Bras symétriques

REDOUTABLE CHASSEUSE
Les étoiles de mer sont de redoutables chasseuses qui se nourrissent surtout de coquillages bivalves qu'elles ouvrent grâce à leurs ventouses. La *Protoreaster* d'Australie, elle, extrait sa nourriture des sédiments comme le sable.

Protoreaster moderne

LA « STAR » DE LA PLAGE
On trouve souvent des étoiles de mer dans les flaques des rochers et sur les plages mais leurs fossiles sont très rares.

Bouche

Ventouses

Ammonite

Bras manquant

Bouche

Ventouses

Etoile de mer vue du dessous

UN BRAS EN MOINS
Cette étoile de mer fossile du Jurassique, vue du dessous, est très semblable à certaines espèces d'aujourd'hui. Il lui manque un bras mais on aperçoit sa bouche, au centre. Le rocher dans lequel elle est incrustée contient de petites ammonites.

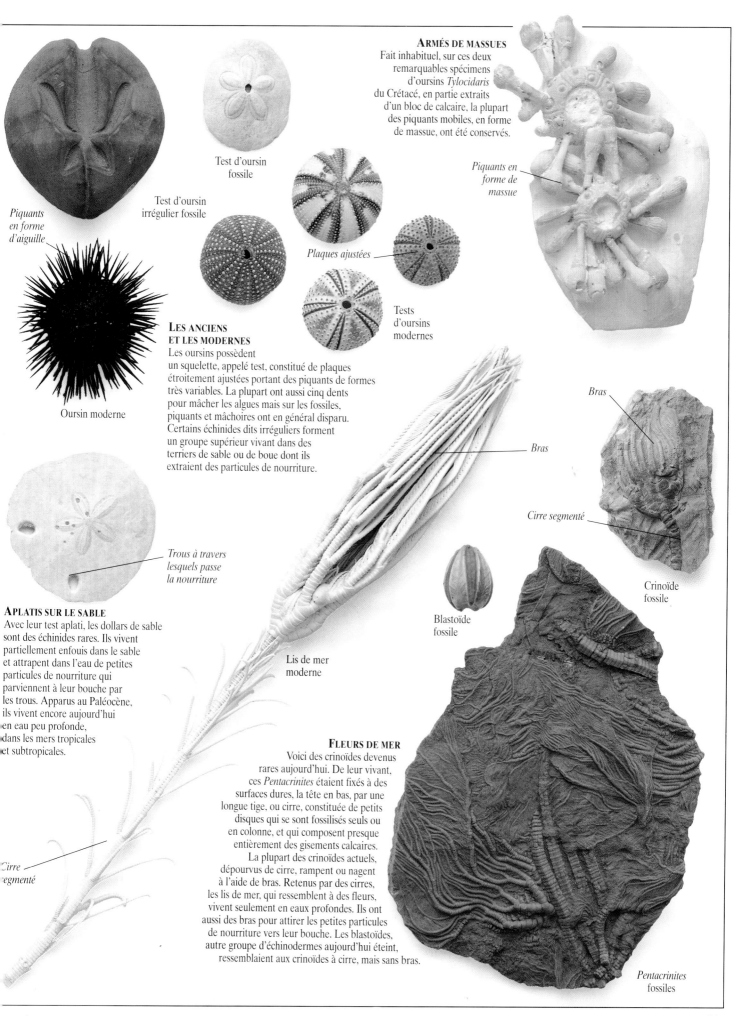

ARMÉS DE MASSUES
Fait inhabituel, sur ces deux
remarquables spécimens
d'oursins *Tylocidaris*
du Crétacé, en partie extraits
d'un bloc de calcaire, la plupart
des piquants mobiles, en forme
de massue, ont été conservés.

*Piquants en
forme de
massue*

*Test d'oursin
fossile*

*Test d'oursin
irrégulier fossile*

Plaques ajustées

Tests
d'oursins
modernes

*Piquants
en forme
d'aiguille*

Oursin moderne

**LES ANCIENS
ET LES MODERNES**
Les oursins possèdent
un squelette, appelé test, constitué de plaques
étroitement ajustées portant des piquants de formes
très variables. La plupart ont aussi cinq dents
pour mâcher les algues mais sur les fossiles,
piquants et mâchoires ont en général disparu.
Certains échinides dits irréguliers forment
un groupe supérieur vivant dans des
terriers de sable ou de boue dont ils
extraient des particules de nourriture.

Bras

Bras

Cirre segmenté

Crinoïde
fossile

*Trous à travers
lesquels passe
la nourriture*

Blastoïde
fossile

Lis de mer
moderne

APLATIS SUR LE SABLE
Avec leur test aplati, les dollars de sable
sont des échinides rares. Ils vivent
partiellement enfouis dans le sable
et attrapent dans l'eau de petites
particules de nourriture qui
parviennent à leur bouche par
les trous. Apparus au Paléocène,
ils vivent encore aujourd'hui
en eau peu profonde,
dans les mers tropicales
et subtropicales.

FLEURS DE MER
Voici des crinoïdes devenus
rares aujourd'hui. De leur vivant,
ces *Pentacrinites* étaient fixés à des
surfaces dures, la tête en bas, par une
longue tige, ou cirre, constituée de petits
disques qui se sont fossilisés seuls ou
en colonne, et qui composent presque
entièrement des gisements calcaires.
La plupart des crinoïdes actuels,
dépourvus de cirre, rampent ou nagent
à l'aide de bras. Retenus par des cirres,
les lis de mer, qui ressemblent à des fleurs,
vivent seulement en eaux profondes. Ils ont
aussi des bras pour attirer les petites particules
de nourriture vers leur bouche. Les blastoïdes,
autre groupe d'échinodermes aujourd'hui éteint,
ressemblaient aux crinoïdes à cirre, mais sans bras.

*Cirre
segmenté*

*Pentacrinites
fossiles*

LES POISSONS ONT EU LEUR ÂGE D'OR

Les poissons sont les vertébrés les plus primitifs. Ils forment un ensemble très varié de quelque 20 000 espèces, respirant avec des branchies et se déplaçant avec des nageoires. Les premiers, apparus voici environ 500 millions d'années, étaient petits, sans mâchoires et recouverts d'une épaisse cuirasse. Ils se sont multipliés au Dévonien, que l'on désigne souvent comme l'âge d'or des poissons. Les représentants primitifs de la plupart des grands groupes actuels existaient déjà.

Sparnodus...

CARTILAGINEUX

Les squelettes de requins et de raies sont formés de cartilage, plus mous que l'os qui, en principe, ne se fossilisait pas. Ces poissons avaient cependant des dents et des aiguillons dorsaux résistants. On en retrouve des fossiles depuis le Dévonien, comme celui-ci, appartenant à un requin du Jurassique.

Nageoire dorsale

Requin moderne

Rangées de dents acérées

Dents d'*Eugomphodus*, requin de l'Eocène

CUIRASSÉ

Les poissons cuirassés sont parmi les premiers poissons à mâchoires connus. Certains de ces placodermes se déplaçaient à l'aide de leurs deux membres antérieurs.

DENT POUR DENT

Prédateurs féroces, les requins possèdent un grand nombre de dents aiguës, disposées en plusieurs rangées : de nouvelles poussent en permanence pour remplacer celles, plus anciennes, qui tombent. Le plus grand requin moderne mesurait 9 m. Cette dent de *Carcharodon* (11 cm) permet de penser qu'il dépassait, lui, les 12 m.

Dent de *Carcharodon*, requin du Pliocène

Raie moderne

Dent de *Ptychodus*

Dent « en pavé » du Ptychodus

SANS MÂCHOIRES

Les céphalaspidomorphes, poissons primitifs, n'avaient pas de mâchoires et se nourrissaient peut-être en aspirant les sédiments des lacs ou des rivières.

BROYEUR DE COQUILLAGES

Ces dents fossiles sont tout ce que nous connaissons du *Ptychodus*, un poisson cartilagineux qui devait ressembler à une raie moderne et vivait près du fond. Ses mâchoires sont pourvues de dents broyeuses.

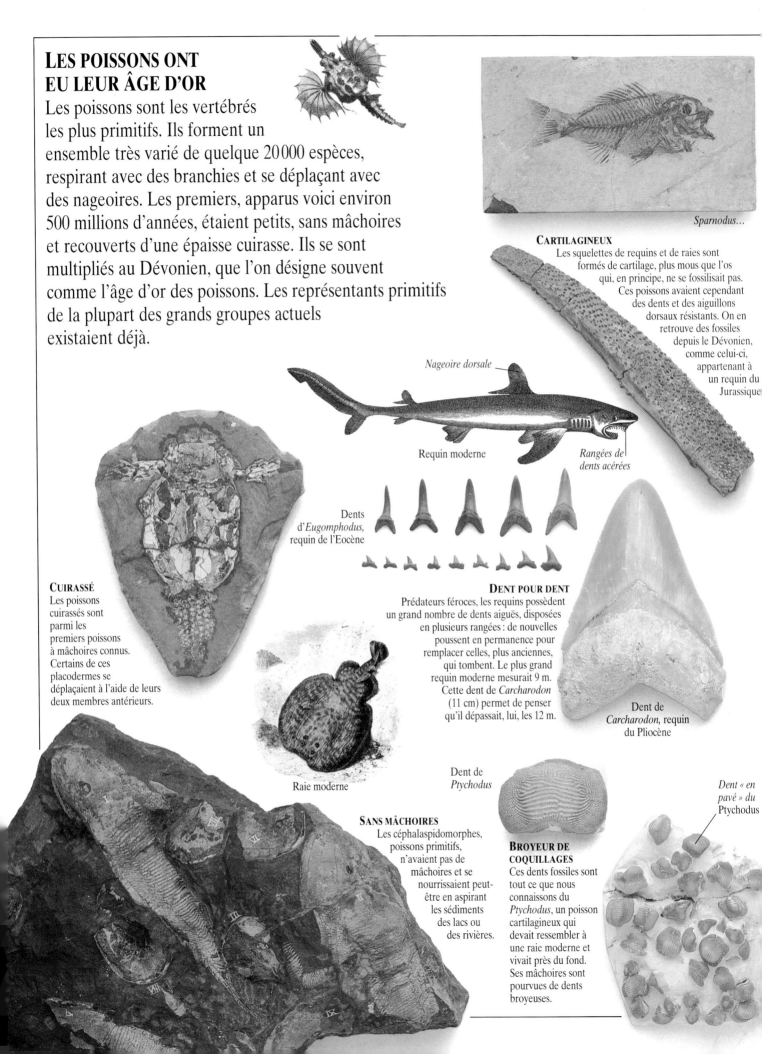

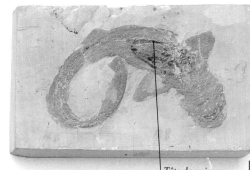

CANNIBALE
Les animaux fossiles ne comportent presque jamais de traces de ce qu'ils mangeaient. Pourtant, ce remarquable spécimen de chien de mer du Crétacé contient la tête d'un téléostéen qu'il a avalée.

... et son double

Tête de poisson dans l'estomac

DÉDOUBLÉ
Ce bloc de calcaire de l'Eocène s'est scindé à l'emplacement d'un très beau spécimen de *Sparnodus* fossile et l'a dédoublé. Les os du squelette sont remarquablement conservés. *Sparnodus* appartient à un groupe de poissons osseux qui vivent encore aujourd'hui et auquel appartiennent notamment les daurades.

ÉCAILLEUX
Poisson osseux du Mésozoïque répandu dans le monde entier, *Lepidotes* est couvert d'épaisses écailles. Il atteignait parfois près de 2 m de long. Ses dents en forme de bouton, traditionnellement appelées crapaudines (p. 16), broyaient les coquilles de mollusques.

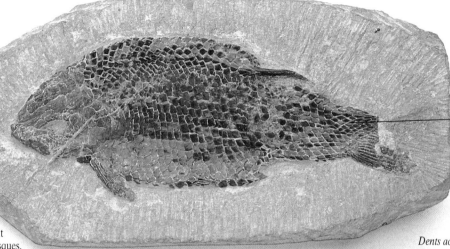

Ecailles épaisses

Dents acérées de prédateur

« PIERRES D'OUÏES »
Les otolithes de l'oreille interne des poissons sont des organes de l'équilibre. Ils sont en matériau calcaire et forment d'étranges fossiles. Ces échantillons appartenaient à des poissons de l'Eocène.

Ecailles épaisses

Dipneuste africain moderne

PRÉDATEUR
Caturus, du Jurassique, est un cousin de l'amia moderne. Ses dents acérées sont celles d'un prédateur.

Tête cuirassée

OSSEUX
Ce téléostéen primitif, un type de poisson osseux, vivait dans les mers voici quelque 200 millions d'années, sans doute en bancs, comme les harengs. Ses petites dents indiquent qu'il se nourrissait de plancton. Les premiers téléostéens sont apparus au trias et ce sont aujourd'hui les poissons les plus nombreux.

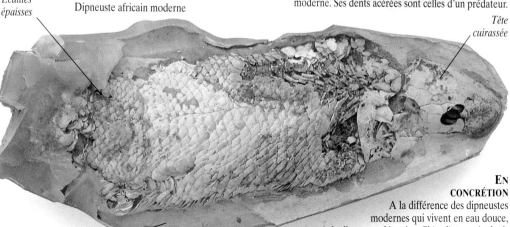

Restes de la concrétion

EN CONCRÉTION
A la différence des dipneustes modernes qui vivent en eau douce, le dipneuste dévonien *Chirodipterus* évoluait dans les hauts-fonds et devait se nourrir d'animaux et de plantes. Ce spécimen d'Australie s'est conservé dans une concrétion calcaire dure (p. 9) et a été traité à l'acide de manière à dissoudre celle-ci sans abîmer le poisson.

ET LES PLANTES SE DRESSÈRENT

Lorsque les végétaux envahirent la Terre, il y a environ 440 millions d'années, ce fut un tournant décisif dans l'histoire de la vie : désormais, les animaux purent « coloniser » la planète, et les plantes se diversifier. Les végétaux terrestres devaient être assez forts pour résister à la pesanteur. Ils devaient aussi, pour supporter la sécheresse, emmagasiner l'eau dans leurs racines et la transporter jusqu'aux feuilles, au niveau desquelles se réalise la production d'énergie par photosynthèse. Ces nécessaires adaptations se sont d'abord produites parmi les végétaux terrestres tels que les lycopodes, les prêles, et les fougères à la fin du Paléozoïque. Quelques spécimens de ces différents groupes ont survécu jusqu'à nos jours. Les plantes à fleurs, aujourd'hui les plus répandues, ne sont apparues qu'au Crétacé.

BIJOUX DE JAIS
Le jais est une sorte de bois fossile assez dense pour être taillé et poli en bijouterie. Il s'est probablement formé lorsque le bois d'araucaria (page de droite) a été emporté jusqu'à la mer par les rivières.

Empreinte d'écorce de *Lepidodendron* dans du grès

JOHAN JACOB SCHEUCHZER
Le naturaliste suisse Johan Jacob Scheuchzer (1672-1733) a étudié les plantes et les poissons fossiles de formations du Miocène, dans la carrière d'Oeningen, en Suisse.

Cicatrices de feuilles en forme de losange

Coupe de *Lepidostrobus*, cône fossile

Lepidodendron

Baragwanath.

« PIEDS-DE-LOUP »
Les « pieds-de-loup », ou lycopodes, se reproduisent par des spores logées dans des cônes. Ces plantes étaient nombreuses au Paléozoïque, et *Baragwanathia* du Dévonien, en Australie, en est sans doute le plus ancien exemple connu. Les lycopodes actuels ont de longues tiges rampantes mais ceux du Paléozoïque formaient des arbres. Le plus grand, *Lepidodendron*, atteignait 40 m de haut. Son écorce fossilisée présente un dessin en losanges : les cicatrices des feuilles tombées.

« Pied-de-loup » du Carbonifère *Archaeosigillar.*

Lycopodium, pied-de-loup moderne

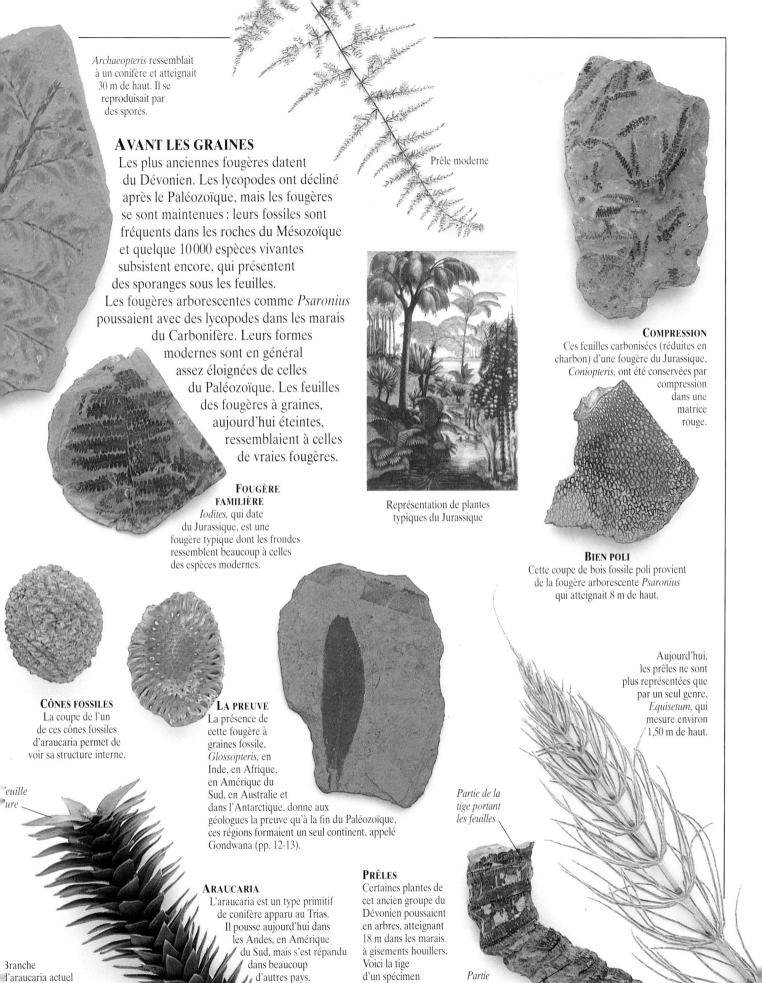

Prêle moderne

AVANT LES GRAINES

Les plus anciennes fougères datent
du Dévonien. Les lycopodes ont décliné
après le Paléozoïque, mais les fougères
se sont maintenues : leurs fossiles sont
fréquents dans les roches du Mésozoïque
et quelque 10 000 espèces vivantes
subsistent encore, qui présentent
des sporanges sous les feuilles.
Les fougères arborescentes comme *Psaronius*
poussaient avec des lycopodes dans les marais
du Carbonifère. Leurs formes
modernes sont en général
assez éloignées de celles
du Paléozoïque. Les feuilles
des fougères à graines,
aujourd'hui éteintes,
ressemblaient à celles
de vraies fougères.

Archaeopteris ressemblait
à un conifère et atteignait
30 m de haut. Il se
reproduisait par
des spores.

COMPRESSION
Ces feuilles carbonisées (réduites en
charbon) d'une fougère du Jurassique,
Coniopteris, ont été conservées par
compression
dans une
matrice
rouge.

FOUGÈRE FAMILIÈRE
Iodites, qui date
du Jurassique, est une
fougère typique dont les frondes
ressemblent beaucoup à celles
des espèces modernes.

Représentation de plantes
typiques du Jurassique

BIEN POLI
Cette coupe de bois fossile poli provient
de la fougère arborescente *Psaronius*
qui atteignait 8 m de haut.

CÔNES FOSSILES
La coupe de l'un
de ces cônes fossiles
d'araucaria permet de
voir sa structure interne.

LA PREUVE
La présence de
cette fougère à
graines fossile,
Glossopteris, en
Inde, en Afrique,
en Amérique du
Sud, en Australie et
dans l'Antarctique, donne aux
géologues la preuve qu'à la fin du Paléozoïque,
ces régions formaient un seul continent, appelé
Gondwana (pp. 12-13).

Aujourd'hui,
les prêles ne sont
plus représentées que
par un seul genre,
Equisetum, qui
mesure environ
1,50 m de haut.

Partie de la
tige portant
les feuilles

ARAUCARIA
L'araucaria est un type primitif
de conifère apparu au Trias.
Il pousse aujourd'hui dans
les Andes, en Amérique
du Sud, mais s'est répandu
dans beaucoup
d'autres pays.

PRÊLES
Certaines plantes de
cet ancien groupe du
Dévonien poussaient
en arbres, atteignant
18 m dans les marais
à gisements houillers.
Voici la tige
d'un spécimen
du Jurassique,
Equisetites.

Feuille
[?]ure

Branche
l'araucaria actuel

Partie
souterraine
de la tige

ELLES ONT SEMÉ À TOUT VENT

Les plantes à graines les plus récentes ont un fruit (plantes à fleurs ou angiospermes), ou un cône (conifères ou gymnospermes) qui contiennent les graines et les protègent. Graminées, chênes, tulipes, palmiers, pommes de terre ou cactus, les angiospermes sont les végétaux modernes les plus répandus : on en compte quelque 250 000 espèces. Malgré leur très grande variété, ils ont figuré relativement tard au registre des fossiles, les premiers exemples datant du Crétacé. Les conifères remontent au Carbonifère.

FRUITS CHARNUS
Tous les fruits contiennent des graines. Les baies pourrissent vite et leurs graines dures ont plus de chances de se fossiliser.

AVANT LES FLEURS
Lorsque les angiospermes sont apparus, les plantes les plus répandues étaient les cycas : ils ressemblaient à des palmiers avec des graines contenues dans des structures coniques. Leurs représentants modernes, neuf sortes vivant dans les forêts tropicales et subtropicales, ressemblent toujours à des palmiers.

Feuille fossile

Feuille de *Sabal*

Anneaux de croissance conservés dans la pierre

Bois de conifère pétrifié

BOIS PÉTRIFIÉ
Certains bois de conifères du Crétacé se sont conservés en se pétrifiant. Ce spécimen comporte des détails remarquables.

PALME FOSSILE
Il existe deux types principaux d'angiospermes : les monocotylédones et les dicotylédones. Les premières ont en général des feuilles à nervures parallèles tandis que celles des secondes sont en réseau.

Palme moderne

Graine

Feuille

Cône

Cycas moderne

FENDUE EN DEUX
Les feuilles d'angiospermes, comme cette feuille de myrte du Miocène, son assez courantes et bien conservées dan des roches sédimentaires à grain fin.

Fruit fossile du *Nipa*

GARDE-CÔTES
Ce fruit d'un *Nipa* vivant est plus gros que ce fruit fossile d'un *Nipa* de l'Eocène. Le *Nipa* est un palmier sans tronc qui pousse aujourd'hui sur les littoraux tropicaux ou le long des rivières et joue un rôle important dans la prévention de l'érosion des côtes.

Fruit moderne du *Nipa*

CHÂTAIGNE PLATE
Voici la graine aplatie d'une châtaigne d'eau du Miocène. Les châtaignes d'eau, ou macles, vivent encore aujourd'hui.

Juglans

Palliopora

FEUILLES IDENTIQUES

Les feuilles fossiles de peupliers sont presque identiques à celles de peuplier actuel. Ce très bel échantillon a quelque 25 millions d'années.

Feuilles de peuplier moderne

Mastixia

Tectocarya

Pollen fossile agrandi

Feuille fossile de peuplier

GRAINES ANCIENNES

Les graines d'angiospermes sont souvent contenues dans un fruit. Il existe une grande variété de fruits et graines fossiles depuis la fin du Crétacé.

PREMIER POLLEN

Les détails d'un grain de pollen fossile du crétacé sont bien apparents sur cette image très agrandie.

CONIFÈRE GÉANT

Les conifères sont des gymnospermes. On retrouve à l'état fossile des souches et des troncs aussi bien que des cônes et des graines. Les restes de séquoias géants datent parfois du Jurassique.

Feuilles fossiles du Miocène

Côte médiane et nervures bien apparentes sur cette feuille d'érable fossile

IMPRESSIONS DE FEUILLES

Ces feuilles du Miocène sont magnifiquement conservées en impressions dans un calcaire à grain fin. La feuille trilobée, avec sa côte médiane et ses nervures délicates, est facile à reconnaître : elle appartenait à un érable.

Feuilles d'érable moderne

Bourgeon

ANNEAUX DE PIERRE

Sur cette coupe polie de chêne pétrifié, on voit nettement les anneaux de croissance tels qu'ils apparaissent sur les troncs d'arbres actuels. Ils fournissent de précieuses informations sur la croissance saisonnière de leur propriétaire ainsi que sur le climat de l'époque.

ÉRABLE EN BOURGEONS

Les bourgeons se fossilisent rarement mais, fait exceptionnel, celui-ci est attaché à une petite branche d'érable du Miocène.

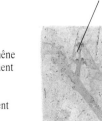

PÉTALES RARES

Les fossiles de plantes à fleurs sont courants mais les fleurs elles-mêmes, délicates et éphémères, sont rares. Ces pétales de *Porana* – dont la primevère est la version moderne – sont donc exceptionnels. Ils datent du Miocène.

Fleur fossile

Primevère moderne

Anneaux de croissance

LE CHARBON ET LE PÉTROLE SONT AUSSI DES FOSSILES

Le pétrole et le charbon sont des combustibles fossiles car ils proviennent d'organismes anciens, principalement végétaux. En brûlant, ils libèrent, sous forme de chaleur et de lumière, l'énergie photosynthétique captée par des plantes qui vivaient il y a des millions d'années. Les combustibles fossiles, qui sont extraits de la terre en quantités énormes, entrent aussi dans la composition de nombreuses matières synthétiques.

Forêt du Carbonifère

À LA SOURCE
Voici l'impression d'écorce d'un végétal qui poussait dans les vastes forêts du Carbonifère. Environ deux tiers des ressources mondiales de charbon se sont formés à partir de ces forêts.

Herbes et mousse

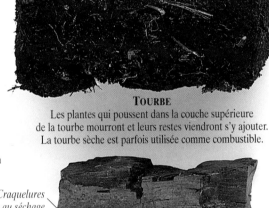

TOURBE
Les plantes qui poussent dans la couche supérieure de la tourbe mourront et leurs restes viendront s'y ajouter. La tourbe sèche est parfois utilisée comme combustible.

DU VÉGÉTAL AU CHARBON

Le charbon se forme à partir de la décomposition, sur des millions d'années, de végétaux qui poussent dans des marais d'eau douce. Ce processus requiert certaines conditions pour que la décomposition des bactéries change les végétaux en tourbe ; celle-ci est ensuite enfouie par de nouveaux sédiments et plantes en train de pourrir. Sous l'effet de modifications chimiques, elle se transforme d'abord en lignite, puis en bitume et enfin, si les températures et les pressions sont assez élevées, en anthracite.

Craquelures dues au séchage

LIGNITE
A ce premier stade, le charbon, d'un brun noir typique, contient parfois encore de l'eau. Il est très friable et peut se craqueler en séchant à l'air libre.

MINE MODERNE
Le charbon est le plus souvent extrait de mines souterraines.

Empreint d'écorce lycopode

LE ROULAGE
Autrefois, les wagons de charbon étaient tirés dans les tunnels souterrains par les hommes, les femmes et les enfants.

HOUILLE GRASSE
La houille noire, grasse, est le charbon de chauffage le plus courant. Voici une impression de lycopode du Carbonifère, végétal à l'origine du charbon.

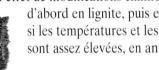

Encre

Cirage

TOUT EN CHARBON!
Le charbon est surtout utilisé pour le chauffage domestique ou pour fournir de la vapeur qui, à son tour, actionne les générateurs des centrales thermiques produisant l'électricité. Mais beaucoup de produits de notre vie quotidienne sont aussi dérivés du charbon : encre, cirage, médicaments, colorants, détergents, parfums, engrais, insecticides, nylon et plastiques.

Savon coaltar

ANTHRACITE
L'anthracite, le charbon de meilleure qualité, est dur, d'un noir intense et brillant.

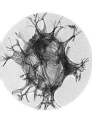

L'ORIGINE
Ce fossile très grossi est celui d'une minuscule plante marine de l'Eocène. Des plantes planctoniques analogues sont à l'origine du pétrole. Leurs restes fossilisés fournissent d'importants indices sur les roches.

DU PLANCTON AU PÉTROLE

Le mot « pétrole » vient du latin médiéval *petroleum*, huile de pierre. Cette huile minérale naturelle et le gaz qui l'accompagne sont surtout formés par la décomposition des minuscules organismes du plancton qui vivent en suspension dans l'eau de mer. Lorsqu'ils meurent, leurs restes coulent et s'enfouissent dans la vase. Après des millions d'années, cette vase se transforme en roche et les restes organiques forment les premiers atomes de kérogène, puis de pétrole.

PAS DE PÉTROLE
Cet échantillon de roche, prélevé par les géologues lors d'un forage, ne contient pas de pétrole.

OR NOIR
Cet échantillon poreux de couleur foncée contient du pétrole. Celui-ci ne forme pas de grands lacs souterrains mais se présente en gouttelettes minuscules dans les anfractuosités de la roche.

Trépan de tête de forage

FORAGE
La tête de forage la plus courante est, comme celle-ci, composée de trois trépans : fixés à l'extrémité d'un tuyau dans lequel est injecté un fluide épais, ils forent la roche sous l'effet d'un mouvement de rotation. Le fluide lubrifie et refroidit la tête de forage tout en évacuant les fragments de roche.

Plate-forme de forage

Ancienne méthode de forage

Huile lourde

Fossiles de foraminifères

MICROSCOPIQUES
Les fossiles de foraminifères, animaux microscopiques à capsule calcaire, servent à dater les roches.

Lunettes de soleil

Foulard en polyester

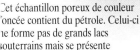

Huile légère

BRUT
Le pétrole naturel ou brut a des aspects très variables : les huiles les plus lourdes, formées à des températures relativement basses, sont noires, épaisses et cireuses ; les plus légères, formées à des températures élevées, sont pâles et liquides. Il faut raffiner ces produits bruts pour pouvoir les utiliser.

Huile légère

Crayons de cire

DÉRIVÉS
Dans la raffinerie, le pétrole brut est séparé en différents liquides, gaz et solides utilisés pour fabriquer divers produits, en plus du pétrole lui-même, du gazole et des lubrifiants. De nombreux détergents, peintures, plastiques et tissus, sont des dérivés chimiques du pétrole tout comme ces crayons de cire, ces lunettes de soleil et ce foulard en polyester.

RAFFINAGE
Les huiles sont traitées dans une raffinerie, selon un processus très complexe, à plusieurs étapes.

Contour charnu du corps

Longues pattes postérieures

LES AMPHIBIENS VIVAIENT DANS L'EAU À MI-TEMPS

Les vertébrés ont colonisé la terre ferme voici 350 millions d'années, parce qu'ils étaient assez évolués pour marcher et respirer à l'air libre. Les amphibiens, premiers vertébrés terrestres, ont eu des poissons pour ancêtres. De nos jours, il existe encore des poissons à poumons – les dipneustes. Des membres marcheurs, dérivés des nageoires musculaires comme celles du cœlacanthe, se développèrent. La plupart des amphibiens traversent une période larvaire aquatique. Une fois adultes, ils retourneront pondre leurs œufs dans l'eau.

UNE DRÔLE DE BÊTE
Ce curieux amphibien, *Diplocaulus,* qui date du Permien, vivait dans les étangs et les ruisseaux.

Yeux

GRENOUILLE
Sur ce remarquable spécimen de grenouille fossile du Miocène – une femelle de l'espèce *Discoglossus* –, en Allemagne, on voit le contour charnu du corps et les longues pattes postérieures. Les premières grenouilles sont apparues au Trias mais leurs fossiles sont rares car elles ont des os fragiles qui pourrissent facilement.

TÊTARD
Les fossiles de têtards sont encore plus rares que les fossiles de grenouilles. Sur ce spécimen de *Pelobates* du Cénozoïque, on distingue bien les deux yeux.

TOUJOURS JEUNE
L'axolotl est une salamandre étrange d'Amérique centrale. Il reste toute sa vie à l'état larvaire, sous l'eau, où il respire par des branchies externes duveteuses. Son nom vient d'un mot aztèque qui signifie « monstre aquatique ».

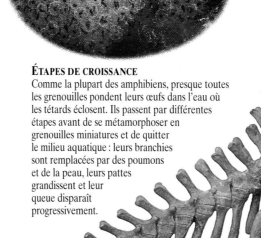

ÉTAPES DE CROISSANCE
Comme la plupart des amphibiens, presque toutes les grenouilles pondent leurs œufs dans l'eau où les têtards éclosent. Ils passent par différentes étapes avant de se métamorphoser en grenouilles miniatures et de quitter le milieu aquatique : leurs branchies sont remplacées par des poumons et de la peau, leurs pattes grandissent et leur queue disparaît progressivement.

CRAPAUD
Les premiers habitants de la Terre étaient très différents des amphibiens qui ont survécu jusqu'à nous, tels les grenouilles, crapauds, tritons et salamandres. Celui-ci est un crapaud des marais modernes.

ANCÊTRE
Ichtyostega, un des plus anciens amphibiens connus, a été retrouvé au Groenland, dans des roches du Dévonien. Certains paléontologues le considèrent comme l'ancêtre des amphibiens. Capable de marcher, respirant avec des poumons, il gardait pourtant une nageoire caudale comme les poissons.

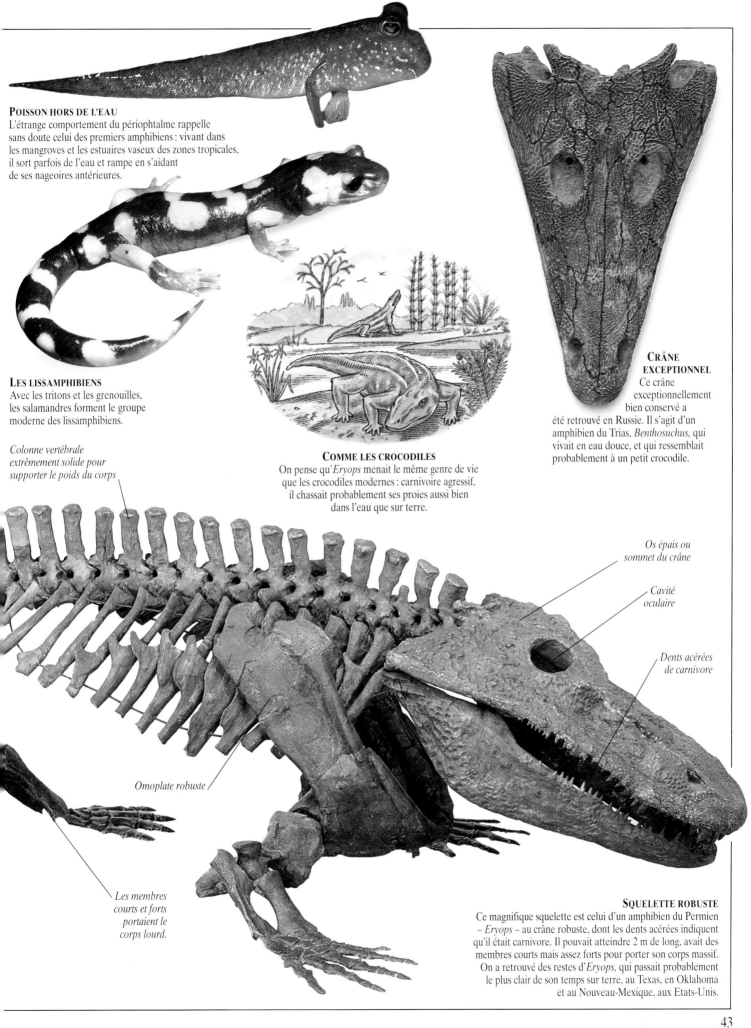

POISSON HORS DE L'EAU
L'étrange comportement du périophtalme rappelle
sans doute celui des premiers amphibiens : vivant dans
les mangroves et les estuaires vaseux des zones tropicales,
il sort parfois de l'eau et rampe en s'aidant
de ses nageoires antérieures.

LES LISSAMPHIBIENS
Avec les tritons et les grenouilles,
les salamandres forment le groupe
moderne des lissamphibiens.

*Colonne vertébrale
extrêmement solide pour
supporter le poids du corps*

COMME LES CROCODILES
On pense qu'*Eryops* menait le même genre de vie
que les crocodiles modernes : carnivore agressif,
il chassait probablement ses proies aussi bien
dans l'eau que sur terre.

**CRÂNE
EXCEPTIONNEL**
Ce crâne
exceptionnellement
bien conservé a
été retrouvé en Russie. Il s'agit d'un
amphibien du Trias, *Benthosuchus*, qui
vivait en eau douce, et qui ressemblait
probablement à un petit crocodile.

*Os épais ou
sommet du crâne*

*Cavité
oculaire*

*Dents acérées
de carnivore*

Omoplate robuste

*Les membres
courts et forts
portaient le
corps lourd.*

SQUELETTE ROBUSTE
Ce magnifique squelette est celui d'un amphibien du Permien
– *Eryops* – au crâne robuste, dont les dents acérées indiquent
qu'il était carnivore. Il pouvait atteindre 2 m de long, avait des
membres courts mais assez forts pour porter son corps massif.
On a retrouvé des restes d'*Eryops*, qui passait probablement
le plus clair de son temps sur terre, au Texas, en Oklahoma
et au Nouveau-Mexique, aux Etats-Unis.

43

LA « FAMILLE » DES REPTILES S'EST CLAIRSEMÉE

Il existe aujourd'hui trois principales sortes de reptiles : les lézards et les serpents, les tortues et les crocodiles. Le sphénodon en représente à lui tout seul une quatrième. Peu d'espèces ont survécu, comparées à la grande variété de celles qui ont existé, notamment au Mésozoïque, avec les dinosaures (pp. 48 à 51), les ptérosaures (p. 52), les ichtyosaures et les plésiosaures (pp. 46-47). On a trouvé les premiers reptiles fossiles dans des roches du début du Carbonifère, vieilles de quelque 300 millions d'années. On suppose que ces animaux primitifs possédaient déjà deux caractéristiques des espèces modernes grâce auxquelles ils ont pu vivre hors de l'eau : des œufs particuliers, ou amniotes, et une peau écailleuse pour éviter la déshydratation.

Il existe aujourd'hui plus de 2000 espèces de serpents.

ŒUFS ENTERRÉS
Les tortues océaniques retournent sur terre pour pondre leurs œufs qu'elles enterrent dans le sable chaud des plages tropicales, avant de regagner la mer. La plus grande tortue vivante est la tortue-luth qui peut atteindre 2,50 m. Au Crétacé, *Archelon* mesurait plus de 4 m !

Couleuvre moderne

CUIRASSE
Trionyx est une tortue d'eau douce de l'Éocène. Ici, seule sa carapace a été conservée – il manque les os. Les premières tortues sont apparues au Trias et ne pouvaient sans doute pas rétracter complètement tête, membres et queue, comme les espèces modernes. Elles avaient des dents, aujourd'hui remplacées par un bec corné pointu pour découper la végétation et la viande.

PRÊTE A SORTIR
Les œufs de tortue contiennent un liquide et sont protégés par une coquille très résistante. Un embryon peut donc s'y développer et devenir bientôt un animal capable de respirer et de vivre sur terre.

VERTÉBRÉ SANS PATTES
Les plus anciens serpents fossiles datent de la fin du Crétacé. Ils sont bien peu représentés au registre des fossiles, si ce n'est par leurs vertèbres. Celles-ci, du Paléocène, appartiennent à *Palaeophis* et ont été découvertes séparément, puis assemblées pour donner une idée de ce que pouvait être sa colonne vertébrale. Les serpents ont probablement eu pour ancêtre une sorte de lézard fouisseur, avec des membres de plus en plus petits qui ont ensuite complètement disparu. Aujourd'hui, ils possèdent des crochets venimeux et des os du crâne articulés de manière assez souple pour qu'ils puissent ouvrir très grand la bouche et avaler de grosses proies.

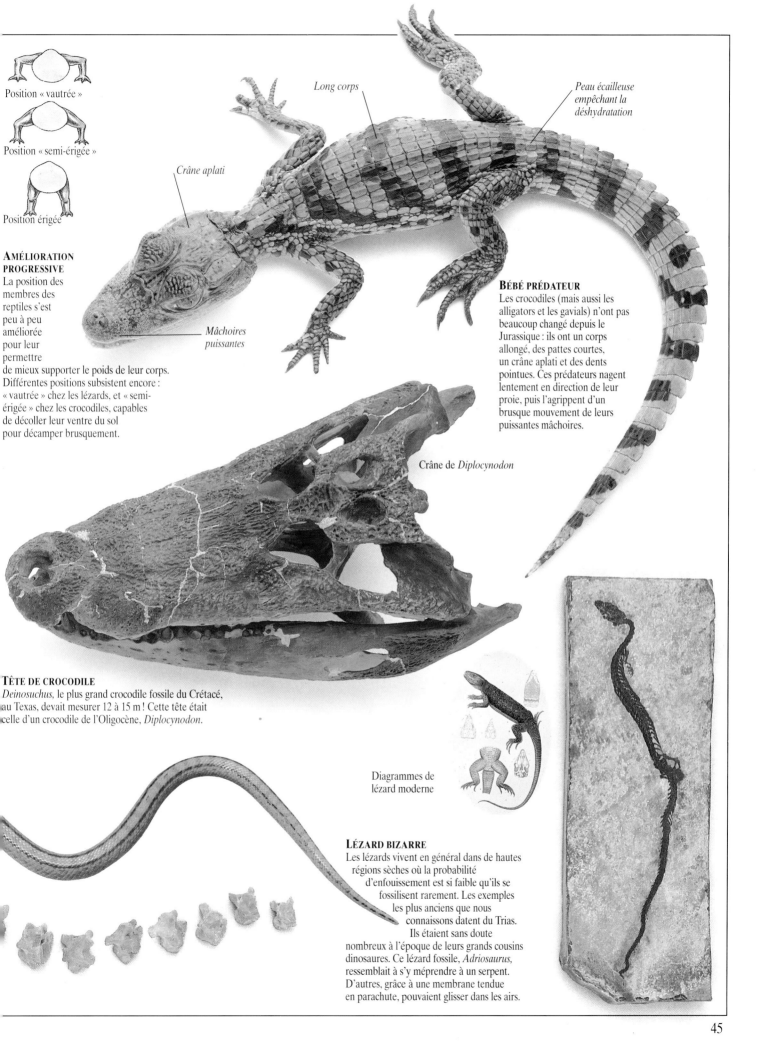

Position « vautrée »

Position « semi-érigée »

Position érigée

Long corps

Crâne aplati

Peau écailleuse empêchant la déshydratation

AMÉLIORATION PROGRESSIVE

La position des membres des reptiles s'est peu à peu améliorée pour leur permettre de mieux supporter le poids de leur corps. Différentes positions subsistent encore : « vautrée » chez les lézards, et « semi-érigée » chez les crocodiles, capables de décoller leur ventre du sol pour décamper brusquement.

Mâchoires puissantes

BÉBÉ PRÉDATEUR

Les crocodiles (mais aussi les alligators et les gavials) n'ont pas beaucoup changé depuis le Jurassique : ils ont un corps allongé, des pattes courtes, un crâne aplati et des dents pointues. Ces prédateurs nagent lentement en direction de leur proie, puis l'agrippent d'un brusque mouvement de leurs puissantes mâchoires.

Crâne de *Diplocynodon*

TÊTE DE CROCODILE

Deinosuchus, le plus grand crocodile fossile du Crétacé, au Texas, devait mesurer 12 à 15 m ! Cette tête était celle d'un crocodile de l'Oligocène, *Diplocynodon*.

Diagrammes de lézard moderne

LÉZARD BIZARRE

Les lézards vivent en général dans de hautes régions sèches où la probabilité d'enfouissement est si faible qu'ils se fossilisent rarement. Les exemples les plus anciens que nous connaissons datent du Trias. Ils étaient sans doute nombreux à l'époque de leurs grands cousins dinosaures. Ce lézard fossile, *Adriosaurus,* ressemblait à s'y méprendre à un serpent. D'autres, grâce à une membrane tendue en parachute, pouvaient glisser dans les airs.

LES DRAGONS DES MERS N'ÉTAIENT QUE DES REPTILES GÉANTS

Au Mésozoïque – l'âge d'or des dinosaures – les mers étaient peuplées de reptiles géants : ichtyosaures et plésiosaures, les plus nombreux, puis mosasaures, qui se sont répandus à la fin de cette ère secondaire. On les a appelés dragons, ce qu'ils n'étaient évidemment pas ! Mais la découverte de leurs vestiges a alimenté les légendes de monstres au long cou, crachant du feu. En réalité, ils vivaient plutôt comme des mammifères marins modernes, tels que les petites baleines ou les dauphins, et se nourrissaient de poissons, de bélemnites ou autres mollusques. Pour respirer, ils avaient besoin de remonter régulièrement à la surface. Comme les dinosaures, ces reptiles se sont tous éteints à la fin du Crétacé, il y a quelque 65 millions d'années.

UNE PIONNIÈRE
Mary Anning (1799-1847) est célèbre pour les fossiles qu'elle a découverts près de chez elle, à Lyme Regis, sur la côte sud-ouest de l'Angleterre. Les falaises de cette région sont riches en fossiles d'animaux marins du Jurassique. Entre 1810 et 1812, Mary et son frère ont mis au jour un squelette complet d'ichtyosaure que l'on prit, à l'époque, pour un crocodile !

RESSEMBLANCE ?
On pense que les dauphins modernes ont une manière de vivre comparable à celle des ichtyosaures.

Nageoire dorsale servant de gouvernail

Colonne vertébrale

Infléchissement des dernières vertèbres

Queue puissante

Dent pointue

Mosasaure

Exhumation d'une mâchoire de mosasaure, au XVIIIe siècle, près de Maastricht, aux Pays-Bas.

DENTS GÉANTES
Les trois dents pointues visibles sur ce fragment de mâchoire de mosasaure sont celles d'un lézard marin géant (9 m de long) assez proche de l'actuel lézard *Monitor*. Ce prédateur a eu une existence relativement courte dans l'histoire géologique : on ne retrouve sa trace qu'à la fin du Crétacé.

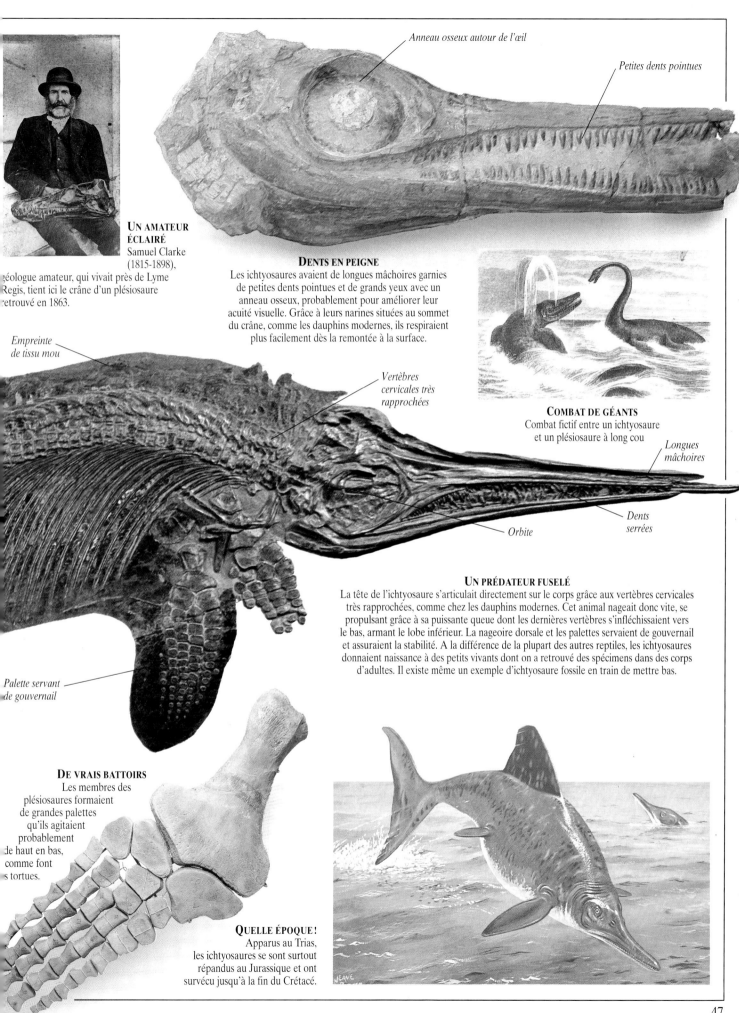

Anneau osseux autour de l'œil

Petites dents pointues

UN AMATEUR ÉCLAIRÉ
Samuel Clarke (1815-1898), géologue amateur, qui vivait près de Lyme Regis, tient ici le crâne d'un plésiosaure retrouvé en 1863.

DENTS EN PEIGNE
Les ichtyosaures avaient de longues mâchoires garnies de petites dents pointues et de grands yeux avec un anneau osseux, probablement pour améliorer leur acuité visuelle. Grâce à leurs narines situées au sommet du crâne, comme les dauphins modernes, ils respiraient plus facilement dès la remontée à la surface.

Empreinte de tissu mou

Vertèbres cervicales très rapprochées

COMBAT DE GÉANTS
Combat fictif entre un ichtyosaure et un plésiosaure à long cou

Longues mâchoires

Orbite

Dents serrées

UN PRÉDATEUR FUSELÉ
La tête de l'ichtyosaure s'articulait directement sur le corps grâce aux vertèbres cervicales très rapprochées, comme chez les dauphins modernes. Cet animal nageait donc vite, se propulsant grâce à sa puissante queue dont les dernières vertèbres s'infléchissaient vers le bas, armant le lobe inférieur. La nageoire dorsale et les palettes servaient de gouvernail et assuraient la stabilité. A la différence de la plupart des autres reptiles, les ichtyosaures donnaient naissance à des petits vivants dont on a retrouvé des spécimens dans des corps d'adultes. Il existe même un exemple d'ichtyosaure fossile en train de mettre bas.

Palette servant de gouvernail

DE VRAIS BATTOIRS
Les membres des plésiosaures formaient de grandes palettes qu'ils agitaient probablement de haut en bas, comme font les tortues.

QUELLE ÉPOQUE !
Apparus au Trias, les ichtyosaures se sont surtout répandus au Jurassique et ont survécu jusqu'à la fin du Crétacé.

LES DINOSAURES ONT MYSTÉRIEUSEMENT DISPARU

De tous les fossiles, les dinosaures sont les plus impressionnants. Leur règne, qui s'est étendu sur 150 millions d'années, du Trias à la fin du Crétacé, a vu naître de nombreuses espèces extrêmement variées. Herbivores ou carnivores, cuirassés d'écailles, la queue hérissée de pointes ou en forme de massue, on ne les connaît que d'après leurs squelettes, mais on a pu les reconstituer. Leur extinction mystérieuse, à la fin du Crétacé, a suscité de nombreuses théories comme celles des changements de climat ou l'impact d'un météorite.

ANIMAL BROYEUR
Ce grand sauropode du Jurassique, *Apatosaurus,* pesait environ 30 tonnes. Herbivore, il atteignait probablement les feuilles des arbres grâce à son long cou. Ses dents étant relativement petites, il est probable qu'il avalait des pierres pour broyer les aliments dans son estomac, tout comme les crocodiles modernes.

À L'AFFÛT DES MONSTRES
Bien que tous les reptiles géants du Mésozoïque se soient éteints longtemps avant l'apparition des hommes, certains rêvent encore de trouver des spécimens vivants de ces monstres.

HERBIVORE
L'hadrosaure *Edmontosaurus*, un des derniers dinosaures, atteignait quelque 13 m de long. On a d'abord cru qu'il vivait en partie dans l'eau, se nourrissant de plantes aquatiques, avant de retrouver, avec certains de leurs squelettes, des plantes terrestres fossiles, indices d'un régime d'arbres et d'arbustes broyés par des dents puissantes, au nombre d'environ un millier chez *Edmontosaurus*.

Edmontosaurus

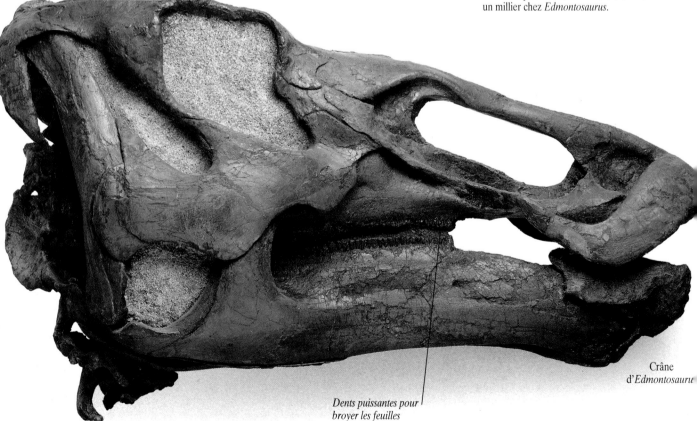

Crâne d'*Edmontosauru*

Dents puissantes pour broyer les feuilles

*Fémur d'*Hypsilophodon

LE PIED LÉGER
Hypsilophodon, dinosaure du Crétacé, mesurait quelque 2 m. Probablement agile, il courait très vite.

ŒUF RARE
On trouve assez fréquemment des fragments d'œufs de dinosaures mais les œufs entiers d'*Oviraptor*, comme celui-ci, sont rares : retrouvé en Mongolie dans les années 1920, il permit pour la première fois de démontrer que les dinosaures pondaient des œufs.

*Fémur d'*Apatosaurus

Tyrannosaurus

LE ROI DES DINOSAURES
Tyrannosaurus, un des derniers dinosaures et peut-être le plus connu, est l'un des plus grands carnivores qui ait jamais vécu sur terre : il mesurait environ 15 m de la tête à la queue. Ses dents pointues et acérées indiquent qu'il était carnassier. On n'a retrouvé que très peu de spécimens de ce géant et des doutes subsistent quant à la structure exacte de sa puissante queue et à la fonction de ses minuscules membres antérieurs.

FÉMURS
On constate d'énormes disparités entre les différentes espèces de dinosaures. Les plus grands, comme *Brachiosaurus*, pesaient 70 tonnes – autant que 18 grands éléphants – tandis que les plus petits étaient de la taille d'un poulet. Le fémur (os supérieur de la patte postérieure) d'environ 10 cm de long est celui d'un *Hypsilophodon* posé sur celui de 2 m d'un *Apatosaurus*.

Dents acérées de plus de 17 cm de long

Crâne de *Tyrannosaurus*

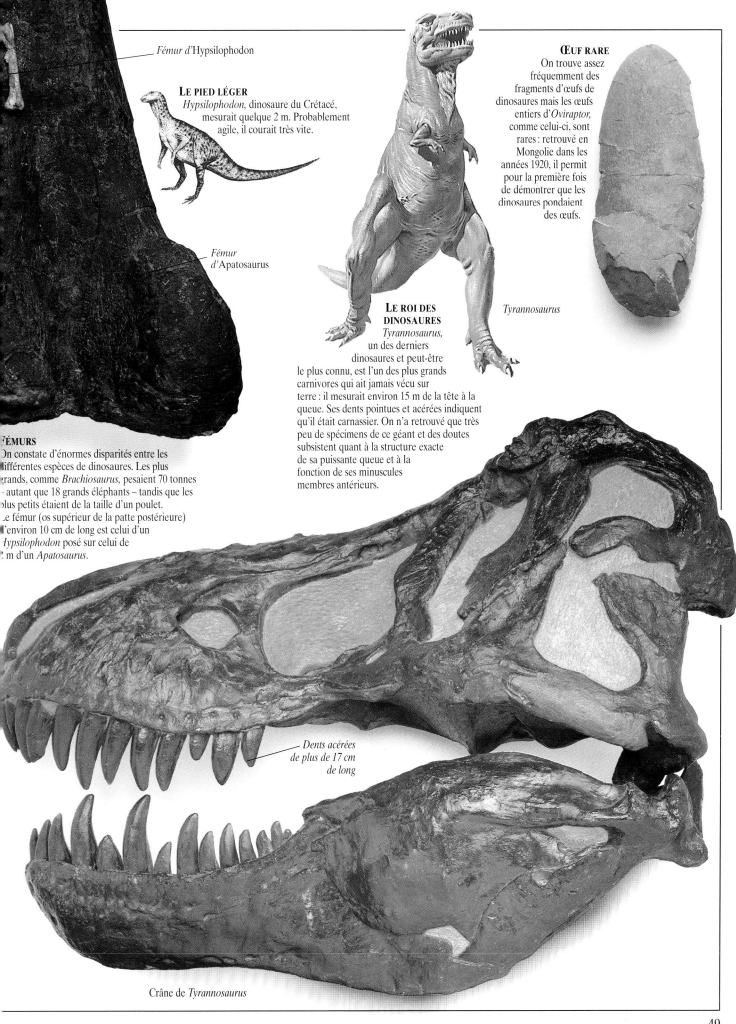

DÉCOUVERTE
Bill Walker tenant la griffe de *Baryonyx* qu'il a découverte en 1983.

LA CHASSE AUX DINOSAURES A FAIT BEAUCOUP D'ADEPTES

Les premières descriptions d'ossements fossiles de dinosaures remontent à 150 ans. C'est un médecin, Gideon Mantell, et sa femme qui ont découvert les premiers, dans le sud de l'Angleterre, des dents, puis des os. En 1841, sir Richard Owen, chef de file de la science anatomique en Grande-Bretagne, inventa le nom de « dinosaure », qui signifie « terrible lézard », pour désigner ces premières découvertes, suivies de nombreuses autres. Aujourd'hui encore, on découvre des restes d'espèces jusqu'ici inconnues. La plupart de ces découvertes accroissent notre connaissance de ces magnifiques reptiles disparus.

LES DENTS DE MANTELL !
Voici une des dents d'*Iguanodon*, baptisé par Gideon Mantell en 1825.

CARRIÈRE
Médecin et collectionneur enthousiaste de fossiles, Mantell a décrit les dents et les ossements d'*Iguanodon* qu'il a trouvés dans une vieille carrière de la région de Cuckfield, au sud de l'Angleterre, où l'on creusait les roches du début du Crétacé pour en faire du gravier.

GROS REPTILE
En 1824, William Buckland découvrit des ossements de dinosaure à Stonesfield, dans l'Oxfordshire, en Angleterre. Il donna à l'animal le nom de *Megalosaurus*, qui signifie « gros reptile ». Cette mâchoire appartenait à un *Megalosaurus* qui provient de la même région que les spécimens de Buckland.

IL Y A ENCORE PLUS GRAND
Ce dinosaure du Jurassique était un carnivore « cousin » de *Tyrannosaurus*, mais moins grand et moins connu.

À LA POURSUITE DES DINOSAURES
Entre 1870 et 1900, Edward Drinker Cope participa à la « chasse » aux dinosaures qui eut lieu aux Etats-Unis, surtout dans le Montana et le Wyoming. Son nom et celui d'Othniel Charles Marsh sont associés à cette période de frénétiques recherches.

MONSIEUR LOYAL...
Sur cette caricature, Marsh est représenté en Monsieur Loyal à la tête de ses animaux préhistoriques. La rivalité exacerbée qui l'opposait à Cope conduisit les deux hommes à s'insulter et même à détruire des fossiles incomplets dans leurs propres carrières, pour empêcher l'adversaire de les récolter !

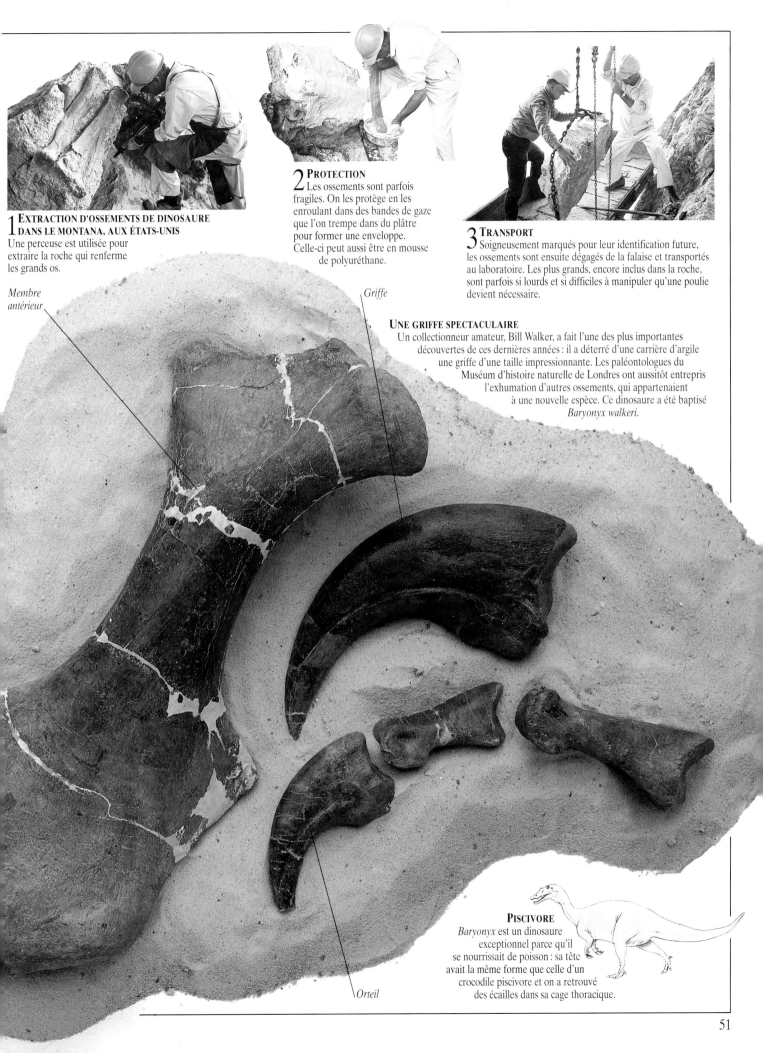

1 EXTRACTION D'OSSEMENTS DE DINOSAURE DANS LE MONTANA, AUX ÉTATS-UNIS

Une perceuse est utilisée pour extraire la roche qui renferme les grands os.

2 PROTECTION

Les ossements sont parfois fragiles. On les protège en les enroulant dans des bandes de gaze que l'on trempe dans du plâtre pour former une enveloppe. Celle-ci peut aussi être en mousse de polyuréthane.

3 TRANSPORT

Soigneusement marqués pour leur identification future, les ossements sont ensuite dégagés de la falaise et transportés au laboratoire. Les plus grands, encore inclus dans la roche, sont parfois si lourds et si difficiles à manipuler qu'une poulie devient nécessaire.

UNE GRIFFE SPECTACULAIRE

Un collectionneur amateur, Bill Walker, a fait l'une des plus importantes découvertes de ces dernières années : il a déterré d'une carrière d'argile une griffe d'une taille impressionnante. Les paléontologues du Muséum d'histoire naturelle de Londres ont aussitôt entrepris l'exhumation d'autres ossements, qui appartenaient à une nouvelle espèce. Ce dinosaure a été baptisé *Baryonyx walkeri*.

Membre antérieur

Griffe

Orteil

PISCIVORE

Baryonyx est un dinosaure exceptionnel parce qu'il se nourrissait de poisson : sa tête avait la même forme que celle d'un crocodile piscivore et on a retrouvé des écailles dans sa cage thoracique.

DE NOMBREUX FOSSILES D'OISEAUX SE SONT... ENVOLÉS

Les insectes ont été les premiers animaux volants : on a retrouvé des libellules fossiles dans des roches de plus de 300 millions d'années. Les vertébrés volants, eux, ne sont apparus que près de 100 millions d'années plus tard et ont évolué en trois groupes différemment adaptés au vol :

les ptérosaures, les chauves-souris et les oiseaux. Les premiers, des reptiles cousins des dinosaures, volaient grâce à des ailes membraneuses, soutenues par un quatrième doigt hypertrophié, un peu comme celles des chauves-souris supportées, elles, par quatre doigts. Chez les oiseaux, les ailes sont également soutenues par plusieurs doigts mais aussi par la base des membres antérieurs. Les vertébrés volants se fossilisent rarement car leurs os sont légers et creux, donc fragiles.

LONGERON
Cet os allongé est celui du doigt qui soutenait l'aile de *Pteranodon*, un ptérosaure du Crétacé d'environ 7 m d'envergure !

UN BON ÉQUILIBRE
Une crête osseuse servait de contrepoids à son long bec édenté. *Pteranodon* était apparemment piscivore, comme l'albatros moderne.

OISEAU IMAGINAIRE
Les ptérosaures ont alimenté l'imagination des auteurs de science-fiction.

REPTILE À FOURRURE
Le petit ptérosaure du Jurassique, *Pterodactylus*, avait des ailes membraneuses et un bec denté. On a pu établir que son corps était recouvert de fourrure en découvrant des empreintes faisant penser à des poils, sur des ptérosaures retrouvés au Kazakhstan. Peut-être s'agissait-il d'animaux à sang chaud auxquels la fourrure servait d'isolant. *Pterodactylus* n'avait que 50 cm d'envergure et une queue courte. Apparus au Trias, les ptérosaures se sont éteints à la fin du Crétacé.

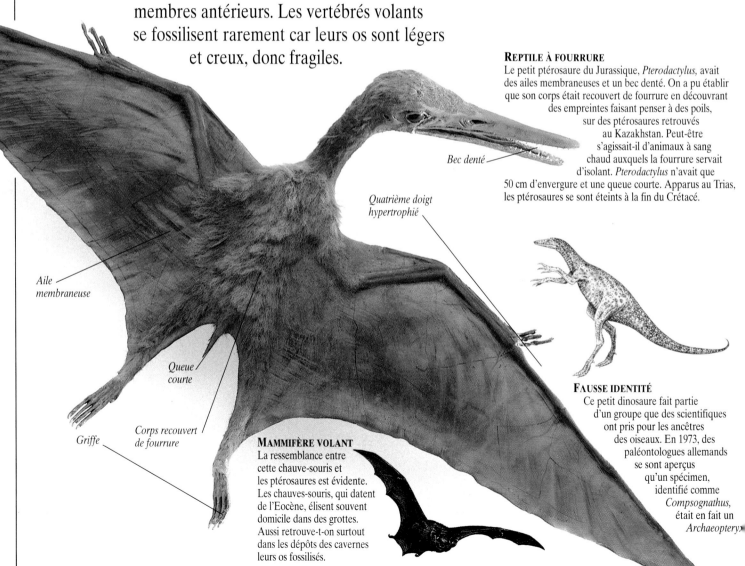

Bec denté

Quatrième doigt hypertrophié

Aile membraneuse

Queue courte

Griffe

Corps recouvert de fourrure

MAMMIFÈRE VOLANT
La ressemblance entre cette chauve-souris et les ptérosaures est évidente. Les chauves-souris, qui datent de l'Éocène, élisent souvent domicile dans des grottes. Aussi retrouve-t-on surtout dans les dépôts des cavernes leurs os fossilisés.

FAUSSE IDENTITÉ
Ce petit dinosaure fait partie d'un groupe que des scientifiques ont pris pour les ancêtres des oiseaux. En 1973, des paléontologues allemands se sont aperçus qu'un spécimen, identifié comme *Compsognathus*, était en fait un *Archaeopteryx*

Empreintes de plumes   Doigts griffus

Dents   Archaeopteryx avait environ 50 cm d'envergure.

Plume fossile

Plume d'oiseau moderne

LE PREMIER OISEAU
Seuls six spécimens d'*Archaeopteryx* – intermédiaire entre les reptiles et les oiseaux et qui vivait il y a 150 millions d'années – ont été retrouvés, tous en Allemagne. Ils sont considérés comme les fossiles les plus précieux du monde. Celui-ci, le plus beau, mis au jour en 1877, présente de très nettes empreintes de plumes.

PLUMES RARES
Les plumes sont rarement fossilisées. On en trouve exceptionnellement dans des sédiments à grain fin comme ce calcaire de l'Oligocène.

Queue osseuse comme celle des reptiles

Griffe

Autruche

ŒUF D'OISEAU GÉANT
Aepyornis maximus, un oiseau géant de Madagascar, mesurait plus de 2 m de haut. Ses œufs fossiles sont les plus gros que nous connaissons : 90 cm de circonférence ! Même placé à côté d'un œuf d'autruche, ce spécimen l'emporte !

Œuf d'autruche

Œuf d'*Aepyornis*

Oiseau tropical moderne

Aepyornis, l'éléphant des oiseaux

CRÂNE PRÉCIEUX
Les restes fossilisés d'oiseaux sont rares. Ce crâne de *Prophaeton* nous vient de l'Eocène et appartiendrait à un cousin proche de l'oiseau tropical *Phaeton*.

LES DENTS DES MAMMIFÈRES RACONTENT LEUR HISTOIRE

Souris, éléphants, kangourous, chauves-souris, chats, baleines, chevaux et… hommes sont tous des mammifères. Ils sont à sang chaud et allaitent leurs petits. Ceux dont les bébés se développent dans l'utérus de la mère, comme les chats, sont des placentaires. Ceux qui grandissent dans une poche maternelle après leur naissance, comme les kangourous, sont des marsupiaux. Les premiers mammifères sont apparus à la même époque que les dinosaures, il y a 200 millions d'années. Presque tous ceux du Mésozoïque étaient petits, de la taille des musaraignes mais, au Cénozoïque, ils se sont diversifiés pour donner les différents types d'aujourd'hui. Les fossiles de mammifères complets sont rares et, bien souvent, nous n'en connaissons que les dents, qui permettent néanmoins de déterminer leur mode de vie et d'alimentation.

Incisives tranchantes

Crâne d'*Ischyromys*

Baies

RONGEURS

Apparus au Paléocène, les rongeurs, dont les rats, les souris et les écureuils, grignotent toutes sortes d'aliments avec leurs grandes incisives tranchantes à croissance continue. Cet *Ischyromys* provient d'un gisement de mammifères de l'Oligocène, White River Badlands, dans le Dakota du Sud, aux Etats-Unis.

Ecureuil moderne

Fourmis

Crâne d'*Orycteropus*

INSECTIVORES

Les mammifères insectivores, comme les musaraignes et les taupes, sont plutôt petits. *Orycteropus*, un oryctérope du Miocène, était un fourmilier et avait donc un long museau pour empêcher les fourmis de pénétrer dans sa trachée.

Oryctérope moderne

MAMMIFÈRE SURGELÉ

Les mammouths ressemblaient aux éléphants et étaient adaptés au climat froid du Pléistocène.
On en a retrouvé des squelettes conservés dans le sol gelé de Sibérie (p. 20).

Molaires à haute couronne

Dromadaire moderne

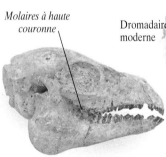

Crâne de *Cainotherium*

HERBIVORES

Les mammifères herbivores ont des molaires à haute couronne capables de résister à l'usure provoquée par la mastication constante. Les uns broutent surtout des feuilles, d'autres de l'herbe. Ce crâne est celui d'un *Cainotherium* qui avait une allure de lapin, et dont le plus proche « cousin » vivant, pourtant éloigné, serait le dromadaire.

Stries d'émail dur

DENTS BROYEUSES

Les mammouths ingurgitaient d'immenses quantités de végétaux qu'ils broyaient avec leurs énormes dents à stries d'émail dur sur la surface de mastication.

Feuilles

Crâne de *Proconsul*

FRUGIVORES
Les singes et les humains appartiennent au groupe des primates, pour la plupart omnivores, mais dont certains se nourrissent surtout de fruits : les dents émoussées, caractéristiques des frugivores, sont visibles sur ce crâne de *Proconsul*, un grand singe du Miocène. Peut-être complétait-il son régime avec des feuilles d'arbres, plus riches en protéines.

Singe moderne

Banane

Dents émoussées, caractéristiques des frugivores

Noisettes

PAYSAGE DE L'ÉOCÈNE
Les mammifères ont commencé à proliférer à l'Eocène mais nombreux sont les groupes qui se sont éteints.

Crâne d'*Hoplophoneus*

Grande canine

Viande

Félin aux « dents de sabre »

CARNIVORES
Les grandes canines des mammifères carnivores ont atteint leur maximum dans la mâchoire supérieure de certains félins, dits « aux dents de sabre », qui s'en servaient pour frapper le cou de leurs proies : témoin ce crâne d'*Hoplophoneus*, de l'Oligocène. Malheureusement aucun de ces félins n'a survécu.

Crâne de *Potamothrium*

PISCIVORES
Potamotherium vivait dans des lacs d'eau douce, au début du Miocène, et se nourrissait de poissons. Il ressemblait à la loutre moderne mais était mieux adapté qu'elle à la vie aquatique. Peut-être était-il le précurseur des phoques marins qui se sont multipliés à la fin du Miocène.

Poisson

Loutres modernes

55

Kangourou boxeur

ISOLÉS, LES MARSUPIAUX ONT RÉSISTÉ AUX PLACENTAIRES

Le continent australien a été isolé de l'Antarctique voici 60 millions d'années, depuis que la dérive des continents (pp. 12-13) a commencé à l'en éloigner. C'est pour cette raison géologique que la plupart des mammifères y sont des marsupiaux : ils se sont multipliés à l'abri des placentaires, dominants partout ailleurs, mais qui n'ont pas pu pénétrer la grande île. La poche marsupiale, dans laquelle leurs petits achèvent de se développer après la naissance, ne se fossilise pas mais les os et les dents permettent de les distinguer des placentaires (pp. 54-55). On a retrouvé beaucoup de fossiles d'espèces éteintes dont *Diprotodon*, mais les marsupiaux vivants, comme le kangourou et le koala, sont encore nombreux. Les curieux monotrèmes ovipares – ornithorynques et échidnés – n'existent d'ailleurs qu'en Australie.

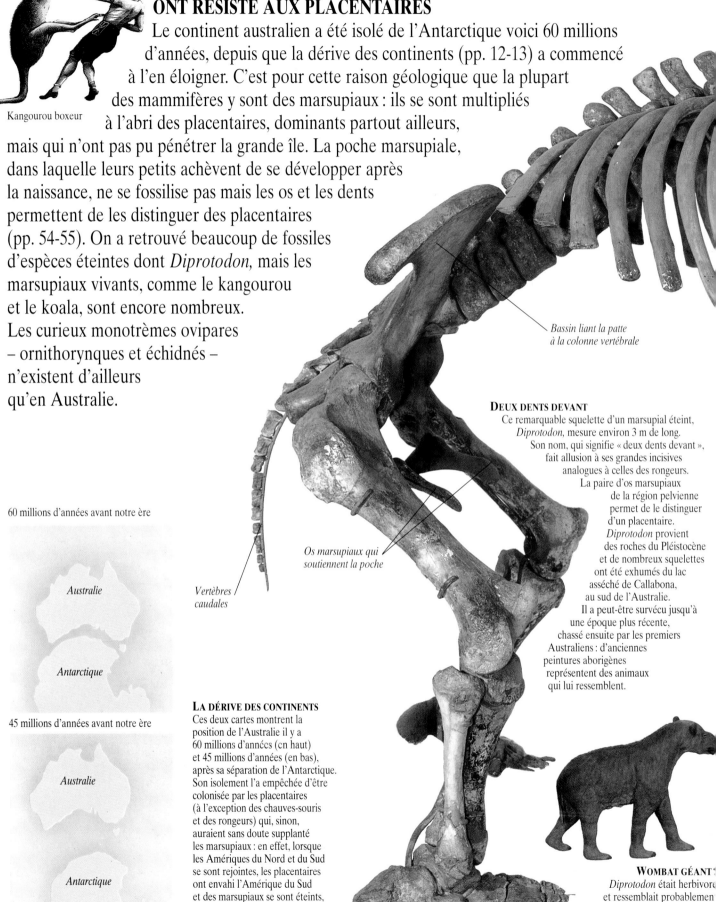

60 millions d'années avant notre ère

Australie

Antarctique

45 millions d'années avant notre ère

Australie

Antarctique

Bassin liant la patte à la colonne vertébrale

DEUX DENTS DEVANT
Ce remarquable squelette d'un marsupial éteint, *Diprotodon*, mesure environ 3 m de long. Son nom, qui signifie « deux dents devant », fait allusion à ses grandes incisives analogues à celles des rongeurs. La paire d'os marsupiaux de la région pelvienne permet de le distinguer d'un placentaire. *Diprotodon* provient des roches du Pléistocène et de nombreux squelettes ont été exhumés du lac asséché de Callabona, au sud de l'Australie. Il a peut-être survécu jusqu'à une époque plus récente, chassé ensuite par les premiers Australiens : d'anciennes peintures aborigènes représentent des animaux qui lui ressemblent.

Os marsupiaux qui soutiennent la poche

Vertèbres caudales

LA DÉRIVE DES CONTINENTS
Ces deux cartes montrent la position de l'Australie il y a 60 millions d'années (en haut) et 45 millions d'années (en bas), après sa séparation de l'Antarctique. Son isolement l'a empêchée d'être colonisée par les placentaires (à l'exception des chauves-souris et des rongeurs) qui, sinon, auraient sans doute supplanté les marsupiaux : en effet, lorsque les Amériques du Nord et du Sud se sont rejointes, les placentaires ont envahi l'Amérique du Sud et des marsupiaux se sont éteints, comme le carnivore aux « dents en sabre », *Thylacosmilus*.

WOMBAT GÉANT
Diprotodon était herbivore et ressemblait probablement à un wombat, mais avec des pattes plus longues.

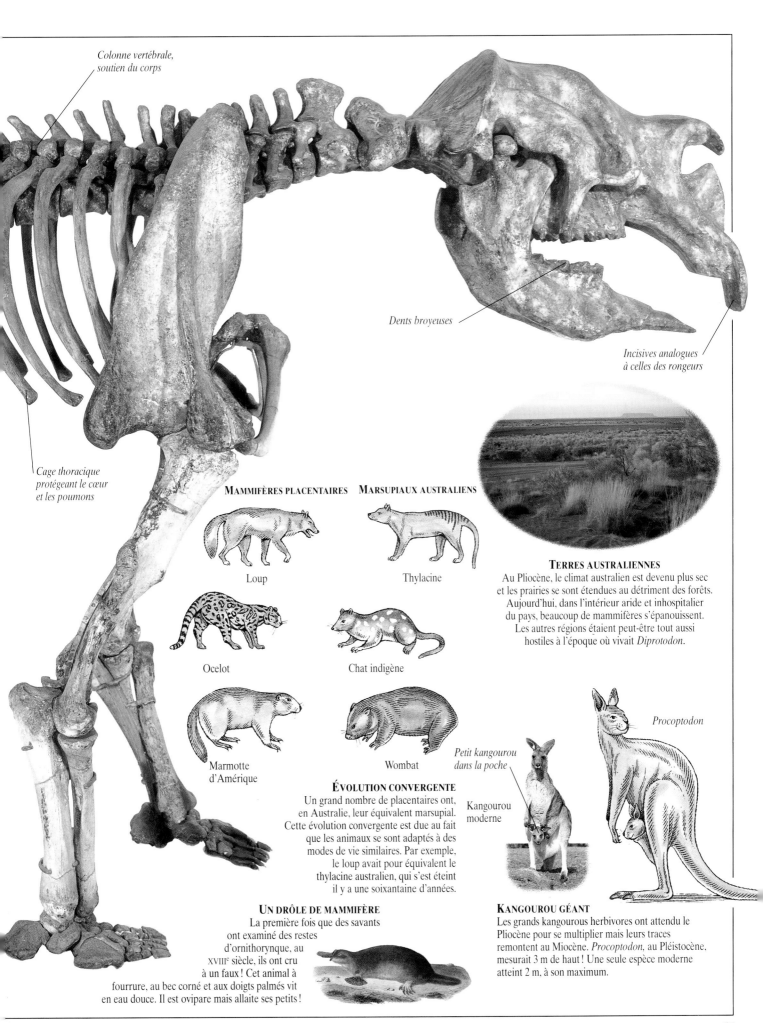

Colonne vertébrale,
soutien du corps

Dents broyeuses

Incisives analogues
à celles des rongeurs

Cage thoracique
protégeant le cœur
et les poumons

MAMMIFÈRES PLACENTAIRES   **MARSUPIAUX AUSTRALIENS**

Loup

Thylacine

Ocelot

Chat indigène

Marmotte
d'Amérique

Wombat

TERRES AUSTRALIENNES
Au Pliocène, le climat australien est devenu plus sec
et les prairies se sont étendues au détriment des forêts.
Aujourd'hui, dans l'intérieur aride et inhospitalier
du pays, beaucoup de mammifères s'épanouissent.
Les autres régions étaient peut-être tout aussi
hostiles à l'époque où vivait *Diprotodon*.

Procoptodon

Petit kangourou
dans la poche

Kangourou
moderne

ÉVOLUTION CONVERGENTE
Un grand nombre de placentaires ont,
en Australie, leur équivalent marsupial.
Cette évolution convergente est due au fait
que les animaux se sont adaptés à des
modes de vie similaires. Par exemple,
le loup avait pour équivalent le
thylacine australien, qui s'est éteint
il y a une soixantaine d'années.

UN DRÔLE DE MAMMIFÈRE
La première fois que des savants
ont examiné des restes
d'ornithorynque, au
XVIIIe siècle, ils ont cru
à un faux ! Cet animal à
fourrure, au bec corné et aux doigts palmés vit
en eau douce. Il est ovipare mais allaite ses petits !

KANGOUROU GÉANT
Les grands kangourous herbivores ont attendu le
Pliocène pour se multiplier mais leurs traces
remontent au Miocène. *Procoptodon*, au Pléistocène,
mesurait 3 m de haut ! Une seule espèce moderne
atteint 2 m, à son maximum.

NOUS AVONS RETROUVÉ NOS ANCÊTRES

Les fossiles des premiers hommes sont rares et fragmentaires mais, depuis quelques années, on en découvre de plus en plus. Ils nous apprennent beaucoup sur l'origine et le développement des hommes modernes. Leur histoire commence avec l'*Ardipithecus* et l'*Australopithecus* et se termine avec l'*Homo sapiens sapiens*. Les plus proches « cousins » vivants des hommes sont les grands singes d'Afrique, chimpanzés et gorilles, toutefois différents par bien des aspects : cerveaux plus petit et marche à quatre pattes, notamment. L'étude des fossiles d'hominiens montre le développement de ces différences à travers l'histoire géologique.

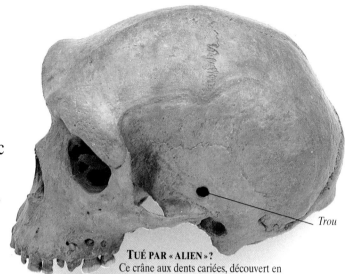
Trou

TUÉ PAR « ALIEN » ?
Ce crâne aux dents cariées, découvert en Zambie, est celui d'un des premiers représentants de notre espèce, *Homo sapiens neanderthalensis*. Un écrivain à l'imagination fertile a attribué le trou, sur le côté gauche, à une balle tirée par un visiteur venu d'une autre planète, il y a 120 000 ans ! Il s'agit en réalité d'une cicatrice d'abcès.

Empreinte de pied d'adulte

Empreinte de pied d'enfant

PREMIERS PAS
A un certain stade de l'évolution, la bipédie (station debout et aptitude à marcher sur deux pieds) s'est développée. Ces empreintes de pas, découvertes en Tanzanie par Mary Leakey, en 1978, sont celles d'hominiens bipèdes qui vivaient il y a 3,6 millions d'années. Elles appartiennent probablement à deux adultes et un enfant *Australopithecus* qui marchaient sur des cendres volcaniques humides, plus tard durcies et enfouies sous d'autres cendres et sédiments.

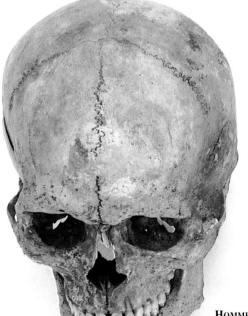

Crâne de chimpanzé

HOMME ET SINGE
Ces deux crânes, qui se ressemblent beaucoup, appartiennent respectivement à un homme moderne et à un chimpanzé. Ils présentent pourtant des différences notables car le premier loge un cerveau plus grand (en moyenne 1 400 cm³ de volume) que celui du singe (400 cm³), d'où sa forme bombée tandis que l'autre est moins élevé. La bouche et les dents aussi sont différentes. Par exemple, les canines chevauchantes du chimpanzé l'empêchent de remuer latéralement les mâchoires.

Crâne humain

Renne sculpté

PREMIÈRES FORMES ARTISTIQUES
Cet andouiller sculpté a plus de 12 000 ans et représente deux rennes, mâle et femelle, l'un derrière l'autre. Sans doute travaillé avec de simples outils en silex, il révèle la formidable habileté de l'artiste.

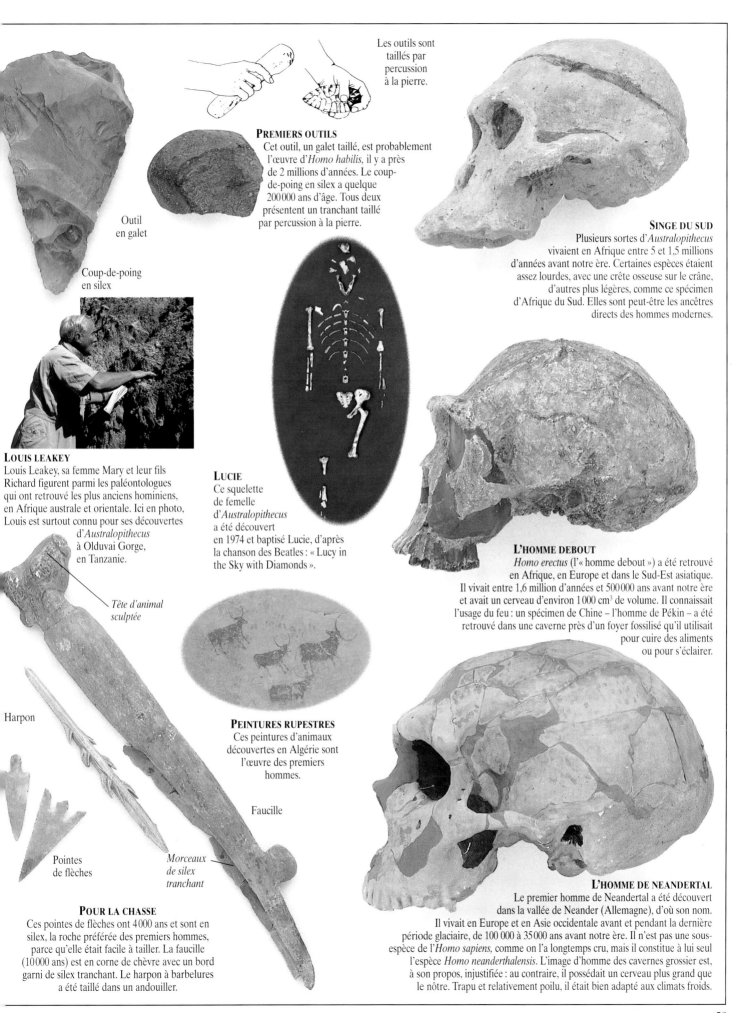

Les outils sont taillés par percussion à la pierre.

PREMIERS OUTILS
Cet outil, un galet taillé, est probablement l'œuvre d'*Homo habilis*, il y a près de 2 millions d'années. Le coup-de-poing en silex a quelque 200 000 ans d'âge. Tous deux présentent un tranchant taillé par percussion à la pierre.

Outil en galet

Coup-de-poing en silex

SINGE DU SUD
Plusieurs sortes d'*Australopithecus* vivaient en Afrique entre 5 et 1,5 millions d'années avant notre ère. Certaines espèces étaient assez lourdes, avec une crête osseuse sur le crâne, d'autres plus légères, comme ce spécimen d'Afrique du Sud. Elles sont peut-être les ancêtres directs des hommes modernes.

LOUIS LEAKEY
Louis Leakey, sa femme Mary et leur fils Richard figurent parmi les paléontologues qui ont retrouvé les plus anciens hominiens, en Afrique australe et orientale. Ici en photo, Louis est surtout connu pour ses découvertes d'*Australopithecus* à Olduvai Gorge, en Tanzanie.

LUCIE
Ce squelette de femelle d'*Australopithecus* a été découvert en 1974 et baptisé Lucie, d'après la chanson des Beatles : « Lucy in the Sky with Diamonds ».

Tête d'animal sculptée

Harpon

L'HOMME DEBOUT
Homo erectus (l'« homme debout ») a été retrouvé en Afrique, en Europe et dans le Sud-Est asiatique. Il vivait entre 1,6 million d'années et 500 000 ans avant notre ère et avait un cerveau d'environ 1 000 cm³ de volume. Il connaissait l'usage du feu : un spécimen de Chine – l'homme de Pékin – a été retrouvé dans une caverne près d'un foyer fossilisé qu'il utilisait pour cuire des aliments ou pour s'éclairer.

PEINTURES RUPESTRES
Ces peintures d'animaux découvertes en Algérie sont l'œuvre des premiers hommes.

Faucille

Pointes de flèches

Morceaux de silex tranchant

POUR LA CHASSE
Ces pointes de flèches ont 4 000 ans et sont en silex, la roche préférée des premiers hommes, parce qu'elle était facile à tailler. La faucille (10 000 ans) est en corne de chèvre avec un bord garni de silex tranchant. Le harpon à barbelures a été taillé dans un andouiller.

L'HOMME DE NEANDERTAL
Le premier homme de Neandertal a été découvert dans la vallée de Neander (Allemagne), d'où son nom. Il vivait en Europe et en Asie occidentale avant et pendant la dernière période glaciaire, de 100 000 à 35 000 ans avant notre ère. Il n'est pas une sous-espèce de l'*Homo sapiens,* comme on l'a longtemps cru, mais il constitue à lui seul l'espèce *Homo neanderthalensis*. L'image d'homme des cavernes grossier est, à son propos, injustifiée : au contraire, il possédait un cerveau plus grand que le nôtre. Trapu et relativement poilu, il était bien adapté aux climats froids.

VOILÀ DES « FOSSILES VIVANTS »

Grâce aux fossiles, nous percevons les immenses changements des animaux et des plantes, depuis l'apparition de la vie sur Terre. Si certaines espèces modernes n'ont presque plus rien de commun avec leurs ancêtres, d'autres, en revanche, n'ont apparemment pas évolué depuis des millions d'années. Les exemples les plus frappants de ces « fossiles vivants », cœlacanthe ou *Pleurotomaria,* ont d'ailleurs été recensés en tant que fossiles bien que l'on en découvre de rares spécimens vivants. Il faut également citer la prêle apparue au Dévonien, l'araucaria (pp. 36-37) et le ginkgo, au Trias, ainsi que le magnolia du Crétacé, l'une des premières plantes à fleurs.

DERNIER SURVIVANT
Le sphénodon est le seul survivant d'un groupe de reptiles abondants au Trias. Il ressemble au lézard moderne, avec une structure crânienne différente. Il vit confiné dans quelques îlots au large de la Nouvelle-Zélande.

Limule fossile

FAUX CRABES
Ces limules, ou « crabes des Moluques », ne sont pas de vrais crabes mais des cousins des araignées et des scorpions. Leur représentant moderne, *Limulus,* vit près des côtes extrême-orientales et dans l'océan Atlantique, sur les côtes de l'Amérique du Nord. Il ressemble beaucoup au fossile marin *Mesolimulus* qui vivait il y a environ 200 millions d'années.

Limule moderne

INSECTES ANCIENS
Les blattes, tout comme les libellules, sont parmi les insectes les plus anciens et remontent au Carbonifère. Certains fossiles ressemblent beaucoup aux espèces modernes.

Blatte
fossile

*Feuilles
en éventail*

ARBRE SOLITAIRE
Les premiers ginkgos sont apparus au Trias. Il n'en subsiste aujourd'hui qu'une seule espèce, *Ginkgo biloba,* qui pousse dans les forêts de Chine occidentale et que l'on cultive dans les jardins botaniques. Ses feuilles en éventail sont aisément identifiables, même fossilisées comme sur cet échantillon du Jurassique.

Branche
de ginkgo
moderne

Ginkgo fossile

MAMMIFÈRES PRIMITIFS

Les didelphes sont une famille de mammifères marsupiaux (pp. 56-57) très anciens, d'abord découverts en Amérique du Sud, dans des terrains de la fin du Crétacé. Les opossums modernes, également marsupiaux, sont assez différents de ces ancêtres primitifs tout en ayant conservé certaines de leurs caractéristiques.

Pleurotomaria fossile

Opossum moderne de Virginie

Crâne fossile d'un didelphe

Pleurotomaria moderne

FOSSILES ET VIVANTS

De nos jours, les escargots marins *Pleurotomaria* sont rares. Les premiers spécimens vivants ont été découverts en 1856, sur des rochers à plus de 200 m de fond, mais des coquillages fossiles presque identiques étaient connus depuis longtemps. *Pleurotomaria* date du Jurassique et appartient à une classe qui remonte au Cambrien, il y a 500 millions d'années.

Queue trilobée

Cœlacanthe fossile

Assiette-souvenir, en faïence, de la prise d'un cœlacanthe vivant

Timbres des Comores

PRÉSUMÉ DISPARU...

Le plus célèbre de tous les fossiles vivants est sans aucun doute le cœlacanthe, avec sa queue trilobée et ses nageoires qui ressemblent à des bras. Il date du Dévonien et on le croyait seulement fossile, éteint depuis le Crétacé. En décembre 1938, lorsqu'un pêcheur en prit un vivant, au large des côtes sud-africaines, ce fut un bouleversement dans les milieux scientifiques. D'autres spécimens ont été pêchés depuis, et certains ont été photographiés au large des Comores, au nord-ouest de Madagascar, à des profondeurs allant de 60 à 400 m. En 1998, une nouvelle espèce de cœlacanthe a été trouvée au large de l'Indonésie à plus de 9 000 km.

AVIS DE RECHERCHE

Le professeur Smith, ichtyologiste sud-africain, a identifié le premier cœlacanthe moderne, en 1938. Malgré la récompense de 100 livres qu'il promit à quiconque en pêcherait un deuxième, il dut attendre 1952.

Cœlacanthe moderne

61

UN BON COLLECTIONNEUR DOIT ÊTRE BIEN ÉQUIPÉ

Partir à la découverte de fossiles d'animaux qui ont vécu il y a des millions d'années est une aventure passionnante, à la portée de tous. Les falaises, les carrières et autres roches sont autant de lieux propices pour les collectionneurs à condition d'observer certaines règles. Il faut notamment demander aux propriétaires l'autorisation de faire des recherches et ménager l'environnement, car les régions riches en fossiles ne sont pas inépuisables.

Une trouvaille historique ?

CISEAUX ET BURINS
Marteau et ciseau d'acier sont de précieux auxiliaires pour extraire les fossiles du morceau de roche qui les entoure.

Masse à utiliser avec un ciseau

Marteau de géologue standard

CAHIER DE COLLECTIONNEUR
Le type de roche, sa formation et l'endroit des fouilles doivent être notés dans un cahier.

MARTEAUX
Un marteau de géologue doit être utilisé pour briser les roches.

TRUELLES
Les fossiles trouvés dans des sédiments meubles, le sable en particulier, doivent être dégagés à l'aide d'une truelle.

CARTE GÉOLOGIQUE
Des cartes géologiques permettent de situer les terrains prometteurs et de déterminer l'âge et le nom des formations rocheuses.

COMPTE-FILS
Un compte-fils grossissant 10 à 20 fois permet d'examiner les fossiles sur le terrain.

BROSSES
Quand on extrait des fossiles de roches tendres, il faut les brosser pour en éliminer les sédiments.

Casque de sécurité

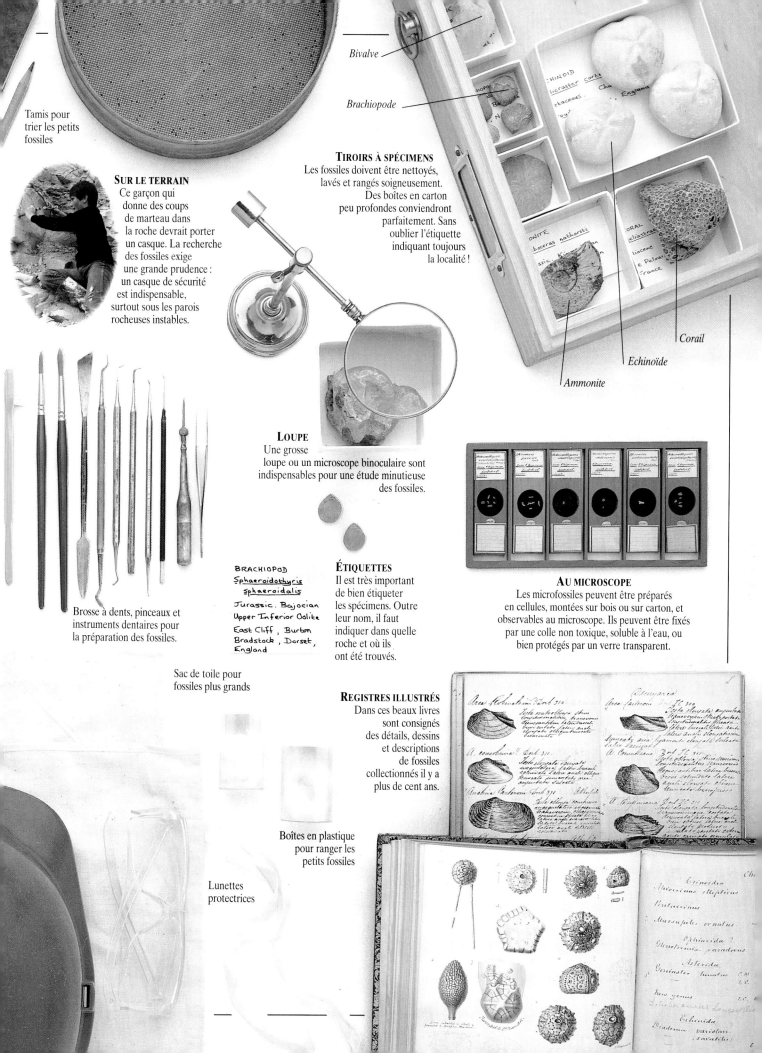

Tamis pour
trier les petits
fossiles

Bivalve

Brachiopode

SUR LE TERRAIN
Ce garçon qui
donne des coups
de marteau dans
la roche devrait porter
un casque. La recherche
des fossiles exige
une grande prudence :
un casque de sécurité
est indispensable,
surtout sous les parois
rocheuses instables.

TIROIRS À SPÉCIMENS
Les fossiles doivent être nettoyés,
lavés et rangés soigneusement.
Des boîtes en carton
peu profondes conviendront
parfaitement. Sans
oublier l'étiquette
indiquant toujours
la localité !

Corail

Echinoïde

Ammonite

LOUPE
Une grosse
loupe ou un microscope binoculaire sont
indispensables pour une étude minutieuse
des fossiles.

Brosse à dents, pinceaux et
instruments dentaires pour
la préparation des fossiles.

BRACHIOPOD
Sphaeroidothyris
sphaeroidalis
Jurassic. Bajocian
Upper Inferior Oolite
East Cliff , Burton
Bradstock , Dorset,
England

ÉTIQUETTES
Il est très important
de bien étiqueter
les spécimens. Outre
leur nom, il faut
indiquer dans quelle
roche et où ils
ont été trouvés.

AU MICROSCOPE
Les microfossiles peuvent être préparés
en cellules, montées sur bois ou sur carton, et
observables au microscope. Ils peuvent être fixés
par une colle non toxique, soluble à l'eau, ou
bien protégés par un verre transparent.

Sac de toile pour
fossiles plus grands

REGISTRES ILLUSTRÉS
Dans ces beaux livres
sont consignés
des détails, dessins
et descriptions
de fossiles
collectionnés il y a
plus de cent ans.

Boîtes en plastique
pour ranger les
petits fossiles

Lunettes
protectrices

LE SAVIEZ-VOUS ?

DES INFORMATIONS PASSIONNANTES

Fossile de *Dromaeosaurus*

Des paléontologues ont découvert, en Chine, dans les années 1990, des fossiles de dinosaures à plumes. C'étaient des dromaeosauridés, petits carnivores rapides, couverts d'un duvet et de plumes primitives. Cette découverte constitue la meilleure preuve que certains dinosaures seraient les ancêtres des oiseaux.

Les premiers fossiles de l'arthropode *Anomalocaris* étaient tellement disparates qu'au début, personne n'imaginait que ces mâchoires, ces membres ou autres parties du corps appartenaient au même animal. Les gros appendices antérieurs, pensait-on, devaient être la queue d'une espèce de crevette disparue. Pour que les scientifiques puissent se représenter cet animal, il a fallu la découverte d'un fossile complet.

L'*Anomodonts* est, à notre connaissance, la plus ancienne espèce présentant des caractères mammaliens. Elle possédait aussi des caractères reptiliens. Des chercheurs ont trouvé un crâne, vieux de 260 millions d'années, en Afrique du Sud, en 1999. Cet herbivore de la taille d'un mouton était antérieur aux dinosaures.

Le fossile d'*Ambulocetus*, espèce ancienne de cétacé, permet de déduire qu'il mesurait 3 m de long et ressemblait à un grand crocodile poilu ! Il avait des dents et un crâne de cétacé, était un excellent nageur, mais avait aussi des pattes pour marcher sur la terre ferme. Son nom signifie cétacé marcheur.

Le gisement fossilifère de Holzmaden, en Allemagne, regroupe des fossiles de milliers d'espèces marines du Jurassique. L'un des plus remarquables est celui d'un ichtyosaure donnant naissance à son petit.

Brachiopode opalisé

Il existe, en Australie, de vastes dépôts d'opale datant du Crétacé inférieur. En exploitant ces gisements, les mineurs ont trouvé de superbes spécimens de coquillages opalisés, notamment des brachiopodes. L'un des plus beaux fossiles opalisés découverts est un pliosaure complet, surnommé « Eric ». Cet animal était un reptile marin contemporain des dinosaures.

Insecte et araignée fossilisés dans de l'ambre

Le film *Jurassic Park* met en scène des troupeaux de dinosaures reconstitués à partir d'ADN extrait d'insectes fossilisés dans de l'ambre. Des scientifiques ont en effet découvert de l'ADN, mais des fragments insuffisants pour reconstituer des animaux préhistoriques.

En 1999, le paléontologue français Bernard Buigues extrayait de la glace le premier animal complet du Pléistocène. Le mammouth laineux, surnommé Jarkov en référence à la famille de bergers de rennes qui l'ont découvert, avait été conservé dans la glace pendant 20 000 ans.

Dans les années 1990, des paléontologues ont découvert les restes du premier primate connu : une mâchoire et un os de la cheville pas plus grand qu'un grain de riz. Surnommé le « singe de l'aurore », *Eosimias* était un anthropoïde de la taille d'une souris, peuplant la Chine, il y a 40 à 45 millions d'années.

« Eric », le pliosaure opalisé

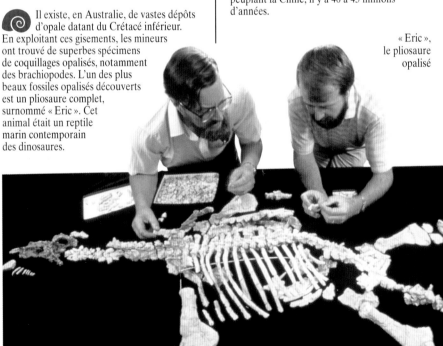

QUELQUES RECORDS

LE PLUS ANCIEN EMBRYON FOSSILE
Trouvé dans la province de Guizhou, en Chine, l'embryon fossile le plus ancien date de 670 millions d'années.

LE PLUS ANCIEN FOSSILE DE PLANTE À FLEURS
Une plante à fleurs vieille de 125 millions d'années, *Archaefructus liaoningensis*, a été trouvée dans la province de Liaoning, en Chine, en 1998.

LE PLUS GROS MAMMIFÈRE CARNIVORE TERRESTRE
Un crâne fossilisé de 83 cm de long, trouvé en Mongolie, appartenait à *Andrewsarchus*, carnivore de l'Eocène. Entier, l'animal devait mesurer 6 m de long et peser une tonne.

LE FOSSILE DE POISSON LE PLUS ANCIEN
Dans le Yunnan, en Chine, deux poissons, *Haikouitchthys ercaicunensis* et *Myllokunmingia fengjiaoa*, ont été découverts dans des roches datant de 530 millions d'années.

LA PLUS ANCIENNE MOUSSE FOSSILISÉE
Découverte à Yokomichi, au Japon, en 1973, *Hepaticites oishii*, la plus ancienne mousse fossilisée, date de 354 millions d'années.

Pederpes finneyae

Où trouve-t-on les fossiles les plus anciens ?

Jusqu'à récemment, les schistes de Burgess, en Colombie britannique (Canada), étaient les meilleurs gisements pour les fossiles du Cambrien. Aujourd'hui d'autres sites ont été découverts, notamment près de Kunming, dans la province du Yunnan, au sud-est de la Chine. Conservés dans les schistes de Maotianshan se trouvent certains des plus anciens fossiles de poissons, ainsi que des milliers de fossiles de mollusques presque parfaits. On les appelle la « faune de Chengjiang », d'après le nom d'un village proche.

Où se trouve la Forêt Pétrifiée ?

La Forêt Pétrifiée est un ensemble de souches et de troncs d'arbres fossilisés, dispersés dans un parc national du désert d'Arizona (Etats-Unis). Ces fossiles datent de 220 millions d'années. Le site recèle également quelques étonnants fossiles d'animaux, comme par exemple une quarantaine de nids de guêpes, les plus anciens que nous connaissions, et de nombreux fragments de vertèbres de dinosaures, ptérosaures, poissons, reptiles primitifs et amphibiens comme les métoposauridés.

Morceaux d'un tronc d'arbre fossilisé
de la Forêt Pétrifiée en Arizona

Quel fut le premier animal à marcher sur Terre ?

Le squelette d'un amphibien, *Pederpes finneyae,* qui vivait il y a 345 millions d'années, est la première preuve fossilisée d'un animal adapté à la marche. Orientées vers l'arrière, les pattes fossilisées plus anciennes étaient conçues pour la nage. L'articulation de la cheville de *Pederpes* permettait de marcher. Ce tétrapode, originaire des régions marécageuses de l'Ecosse, passait probablement une partie du temps sur Terre et le reste dans l'eau.

Une fouille dans la province du Yunnan, en Chine

Quelle rivière américaine regorge de poissons fossilisés ?

Le gisement le plus riche du monde en fossiles de poissons est la formation de la Rivière Verte, au Fossil Butte National Monument, dans le Wyoming, aux Etats-Unis, avec ses 64 750 km^2. Ces fossiles vieux de 55 millions d'années datent de l'Eocène lorsque la région était parsemée d'une série de grands lacs. Les animaux et les plantes retrouvés à l'emplacement de ces lacs ont été merveilleusement conservés. Les spécialistes y ont découvert des milliers de spécimens de poissons appartenant à au moins 20 genres différents, dont des raies pastenagues, des poissons-chats, des harengs et des truites, mais également des fossiles de tortues d'eau, d'oiseaux, de mammifères et de crocodiles.

Diplomystus denatus, ou hareng,
de la formation de la Rivière Verte

À quel endroit les reptiles sont-ils devenus des mammifères ?

Des chasseurs de fossiles, opérant dans le bassin de Karoo, en Afrique du Sud, ont découvert de nombreux indices de reptiles semblables à des mammifères, les thérapsides, dont *Lystrosaurus* à l'allure d'hippopotame, *Lycaenops,* prédateur à dents de sabre, et *Thrinaxodon* de la taille d'un chat. Tous avaient des caractères reptiliens, mais possédaient des dents plus semblables à celles de mammifères. L'analyse des fossiles de thérapsides permet d'étudier les modifications de l'évolution qui ont conduit à l'avènement du premier mammifère.

Quels sont les plus anciens fossiles d'hominidés ?

En Ethiopie, en juillet 2001, des scientifiques ont annoncé la découverte de très anciennes traces d'hominidés. Durant les quatre années précédentes, ils avaient retrouvé des fossiles, datant de 5,2 à 5,8 millions d'années, appartenant à cinq individus de l'espèce *Ardipithecus ramidus :* des os de mâchoire, de bras, de main, du cou, des orteils et des dents ont été identifiés. En 2000, Brigitte Senut et Martin Pickford ont annoncé la découverte, au Kenya, d'une espèce vieille de 6 millions d'années, *Orrorin tugenensis.* Il s'agit de l'hominidé le plus ancien retrouvé à ce jour. Ses fossiles sont des dents, des mandibules, des phalanges, des humérus et des fémurs.

L'IDENTIFICATION DES FOSSILES

Les fossiles se répartissent en trois groupes : les végétaux, les vertébrés et les invertébrés, chacun rassemblant de vastes familles de fossiles. Il existe également des fossiles de traces, comme les empreintes d'animaux et les coprolithes. Si vous ne parvenez pas à identifier une découverte, vous pouvez vous adresser au muséum le plus proche.

FAUSSE FLEUR
Ce fossile ressemble à une fleur, mais les scientifiques pensent qu'il s'agit d'un animal très primitif, et non pas d'un végétal. Cet animal marin du Précambrien a été retrouvé dans les roches riches en fossiles des collines d'Ediacara, en Australie.

FICHE D'IDENTIFICATION DE FOSSILES
Cette page est extraite d'un ouvrage d'identification de fossiles.

LES FOSSILES VÉGÉTAUX

TRONC D'ARBRE
Les troncs d'arbre se fossilisent bien. Des forêts entières ont été ainsi conservées. Les anneaux de croissance des troncs sont toujours visibles.

PRÊLES
Ce fossile d'*Archaeosigillaria* date du Carbonifère. A l'époque, ces prêles atteignaient la taille d'un arbre, mais les espèces actuelles sont de petites plantes.

CÔNE DE SÉQUOIA
Il s'agit d'une pomme de pin de séquoia fossilisée dans du minerai de fer. Les fossiles les plus anciens de cette espèce, qui existe encore aujourd'hui, datent du Jurassique.

FOUGÈRE
Cette feuille de fougère a été trouvée dans l'argile schisteuse de Hermit au sud-est des Etats-Unis. Les schistes et les argiles sont parmi les meilleurs terrains pour trouver des parties molles de végétaux fossilisées.

LES FOSSILES DE VERTÉBRÉS

OISEAU
Cet *Archaeopteryx*, le plus ancien oiseau connu, est l'un des plus célèbres fossiles du monde. Le calcaire de Bavière a conservé les traces délicates de ses plumes et de ses griffes.

REPTILE
Ce squelette est celui d'un *Pachypleurosaurus*. Ce reptile du milieu du Trias, long d'environ 120 cm, vivait en Europe.

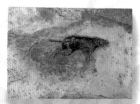

MAMMIFÈRE
Ce fossile de *Macrocranion*, hérisson de l'Eocène, a été trouvé à Grube Messel, en Allemagne. Le schiste conserve le corps mou des animaux ainsi que leur squelette.

POISSON
Cette perche d'eau douce de l'Eocène moyen, *Priscacara*, a été trouvée dans le gisement de la Green River, riche en fossiles, aux Etats-Unis.

DENTS
Les fossiles de vertébrés les plus faciles à trouver sont les dents. Les requins notamment en perdent beaucoup durant leur vie.

LES FOSSILES D'INVERTÉBRÉS

BÉLEMNITE
Les bélemnites étaient des mollusques, dont les encornets et pieuvres actuels sont les lointains parents. Avec la fossilisation, seul le squelette interne ou le rostre de l'animal ont été conservés.

BRACHIOPODE
Ce brachiopode, *Goniorhynchia*, long d'environ 2 cm, vivait au milieu du Jurassique. Il a été trouvé au Royaume-Uni, dans une couche de forest-marble.

BIVALVE
Cette huître jurassique, appelée *Gryphaea*, d'environ 7 cm de long était probablement attachée au fond de la mer. On ne retrouve généralement qu'une coquille sur les deux.

ÉPONGE
Cette éponge haute de 8 cm, *Raphidonema farringdonense*, était commune dans les mers chaudes et peu profondes, qui couvraient en partie, au Crétacé inférieur, l'actuelle Angleterre.

TRILOBITE
Ce fossile calcaire de *Encrinurus* vivait dans des mers peu profondes à l'époque du Silurien. Son bouclier sur la tête lui a valu le surnom de « trilobite à tête de fraise ».

AMMONITE
Gunnarites est une ammonite du Crétacé supérieur, à la coquille très reconnaissable. Sur ce spécimen en grès gris, on distingue un fragment de la coquille d'origine, en haut à gauche.

CORAIL
Les motifs créés par la colonie ont valu au *Colpophyllia* le surnom de « corail cerveau ». Ce fossile, découvert en Italie, date de l'Oligocène supérieur.

GRAPTOLITE
Ces *Rhabdinopora* sont les plus anciens graptolites. Ces fossiles ne représentent pas un seul animal mais une colonie qui flottait à la surface de l'eau.

CRINOÏDE
Les crinoïdes étaient répandus dans les mers du Paléozoïque. Ce fossile, un *Cupressocrinites*, découvert en Allemagne, a des bras en forme de pétales qui filtraient la nourriture.

FORAMINIFÈRES (MICROFOSSILE)
Cette image grossie de nombreuses fois représente le squelette fossilisé d'un *Elphidium*, un protozoaire unicellulaire minuscule, de la taille d'un point.

GASTÉROPODE
Les spirales de cet escargot marin *Pleurotomaria* sont bosselées. Une espèce moderne apparentée se trouve en page 61.

ÉCHINIDE (OURSIN)
Cette espèce éteinte d'oursin, *Phymosoma*, vivait sur les fonds marins au Crétacé supérieur. Son test et ses piquants ont été fossilisés dans de la craie.

POUR EN SAVOIR PLUS

Pour vous informer sur les fossiles, vous avez l'embarras du choix ! Les différents muséums d'histoire naturelle exposent généralement de belles collections de fossiles. Certaines chaînes de télévision consacrent des émissions aux chercheurs de fossiles et à leurs découvertes. Dans les librairies spécialisées ou bien sur des sites Internet, vous trouverez quantité de documents sur le sujet. Vous pouvez aussi vous lancer dans la recherche de fossiles. Il existe pour cela des associations compétentes qui vous fourniront toute l'aide nécessaire. Vous pourrez collectionner des fossiles et rapidement exposer vos trouvailles personnelles.

PALÉONTOLOGUES AU LABORATOIRE
Dans ce laboratoire français, des spécialistes dégagent soigneusement des os fossilisés de leur moule en plâtre. Ces fossiles ont été plâtrés sur leur lieu de découverte afin d'être protégés durant le voyage. Lorsque les fossiles sont fragiles et précieux, les musées préfèrent exposer au public un moule de la pièce plutôt que l'original.

CHERCHEUR AMATEUR
Il faut être très patient pour chercher des fossiles. Il vaut mieux savoir apprécier la recherche pour elle-même car on rentre souvent bredouille. En Floride, cet amateur utilise un tamis, méthode efficace sur certaines plages uniquement.

COLLIER EN JAIS
Les fossiles font partie de notre quotidien : l'ambre et le jais sont des végétaux fossilisés ; le charbon, le pétrole et leurs nombreux sous-produits constituent des énergies fossiles.

PALÉONTOLOGUES AU TRAVAIL
Le Dinosaur National Monument, dans le Colorado, aux Etats-Unis, est un site protégé. Les spécialistes qui travaillent à extraire les os fossilisés de dinosaures ne risquent pas de les endommager. Pour devenir paléontologue, il faut suivre une formation scientifique de haut niveau, accumuler des expériences dans des fouilles et publier ses recherches.

QUELQUES SITES INTERNET
- Ce site d'un paléontologue amateur propose une série d'articles expliquant les processus de fossilisation ainsi que de nombreuses fiches sur des fossiles illustrées de photographies. www.fossiles.be
- Qu'est-ce que les temps géologiques ? Où se trouvent les principaux gisements fossilifères ? Ce site présente également à l'aide de photographies et de schémas un panorama des fossiles de vertébrés. perso.club-internet.fr/jflhomme/
- La base de données du Muséum national d'histoire naturelle offre des informations sur la flore de France, les minéraux etc. www.mnhn.fr
- Liens vers les muséums d'histoire naturelle à travers le monde. www.ucmp.berkeley.edu/museum/firsttime.html

MUSÉUM D'HISTOIRE NATURELLE DE PARIS
Un musée vaste et détaillé qui offre notamment :
• Une galerie d'anatomie comparée qui souligne l'évolution des squelettes de vertébrés ;
• Les plus anciens fossiles d'insectes au monde ;
• Une excellente collection de plantes fossilisées. www.mnhn.fr

MUSÉUM DE L'INSTITUT ROYAL DES SCIENCES NATURELLES DE BELGIQUE
Dans le musée on trouvera en particulier :
• Une collection d'iguanodons unique au monde ;
• Des dinosaures robotisés plus vrais que nature ;
• Des informations sur l'évolution de l'Homme. www.sciencesnaturelles.be/

MUSÉUM D'HISTOIRE NATURELLE DE LONDRES, ANGLETERRE
Importante collection de fossiles, dont certains dinosaures intéressants. A voir particulièrement :
• Une gigantesque reconstitution de *Diplodocus* ;
• *Earthlab* et sa base de données géologique.

MUSÉUM D'HISTOIRE NATURELLE DE NEW YORK, ÉTATS-UNIS
Il abrite la plus grande collection de fossiles de vertébrés, dont 600 sont exposés.
Parmi les pièces phares :
• *Buettneria*, animal très ancien, à quatre pattes ;
• Un fossile de *Ptéranodon* ;
• De nouvelles reconstitutions de *Tyrannosaurus rex* et de *Apatasaurus*.

SOUS LE MICROSCOPE
Au *Earthlab* du Muséum d'histoire naturelle de Londres, en Angleterre, les visiteurs peuvent manipuler de véritables spécimens et les regarder au microscope. Des spécialistes répondent à leurs questions et les aident à identifier les fossiles. La galerie intérieure contient une bibliothèque avec du matériel de référence.

LE MUSÉUM DE CAMBRIDGE
Fondé en 1814, le University Museum of Zoologie de Cambridge, en Angleterre, abrite une superbe collection de fossiles. Elle comprend des poissons du Canada et d'Ecosse, des mammifères d'Amérique du Nord et des reptiles d'Afrique. Un spécimen de chaque espèce, vivante ou éteinte, est exposé sous forme de fossile ou d'animal naturalisé.

LE MUSÉE DU DINOSAURE
Le premier musée européen consacré aux dinosaures a ouvert ses portes en 1992, à Espéraza, dans le sud de la France. La plupart des fossiles exposés proviennent de roches du Crétacé supérieur, des environs du musée. La collection comprend des os, mais également des œufs, comme ceux du titanosaure montré ci-dessus, et des moules d'empreintes de pieds.

LE MUSÉUM D'HISTOIRE NATURELLE DE PARIS
La galerie d'entomologie du Muséum d'histoire naturelle de Paris possède des insectes fossilisés parmi les plus anciens retrouvés. Il y a également la galerie de paléobotanique, consacrée aux plantes fossilisées, et celle de l'évolution avec ses nombreux squelettes fossilisés ou moules de fossiles.

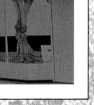

GLOSSAIRE

Anthracite

AMBRE Résine fossilisée d'un ancien conifère.

AMMONITE Céphalopode à coquille, répandu au Mésozoïque, aujourd'hui éteint.

AMPHIBIEN Animal à sang froid, à peau visqueuse, adapté à la vie terrestre et aquatique.

ANATOMISTE Spécialiste de l'anatomie des animaux.

ANGIOSPERME Plante à fleurs dont la graine est protégée à l'intérieur d'un fruit.

ANTHRACITE Charbon dur, brillant et noir.

ARTHROPODE Animal aux pattes articulées, au corps segmenté, possédant un exosquelette, comme les trilobites.

BACTÉRIE Organisme vivant simple.

BÉLEMNITE Céphalopode éteint apparenté à l'encornet actuel.

BIVALVE Animal dont la coquille a deux valves semblables, comme la coque.

BRACHIOPODE Animal à coquille bivalve, l'une étant légèrement plus grande que l'autre.

BYSSUS Faisceau de filaments qui permet au bivalve de se fixer aux rochers.

CALCAIRE Roche sédimentaire composée de fossiles.

Angiosperme de l'Eocène

CAMBRIEN Période géologique s'étendant de -540 à - 500 millions d'années.

CARBONIFÈRE Période géologique qui a duré de - 360 à - 295 millions d'années.

CARNIVORE Animal qui se nourrit de chair.

CÉNOZOÏQUE Ere géologique actuelle qui a commencé il y a 65 millions d'années : l'ère des mammifères.

CÉPHALOPODE Mollusque avec des tentacules.

CLIMAT Etat moyen de l'atmosphère en un lieu et une période donnés.

COPROLITHES Excréments fossilisés.

Diplomystus, ou hareng, de l'Eocène inférieur

CORAUX Colonie de polypes dont les squelettes peuvent former un récif.

CRÉTACÉ Dernière période géologique du Mésozoïque, allant de - 135 à - 65 millions d'années.

CREVASSE Fracture profonde dans un glacier.

CRINOÏDE Echinoderme primitif au corps doté d'un calice et de tentacules.

CROÛTE Couche superficielle de la Terre. Son épaisseur varie de 7 à 70 km.

CRUSTACÉ Arthropode à carapace dure, muni de pattes articulées et de deux paires d'antennes.

DENDRITE Cristal qui forme des branches.

DÉVONIEN Période géologique allant de - 410 à - 360 millions d'années.

Poisson du Dévonien

ÉCHINODERME Animal marin invertébré présentant une symétrie d'ordre cinq, comme l'étoile de mer.

ÉLÉMENT Matériau qui ne peut être subdivisé en substances plus simples par des moyens chimiques.

ÉNERGIE FOSSILE Matériau, comme le pétrole ou le charbon, composé de restes d'anciens êtres vivants (plantes ou animaux) et utilisé comme combustible.

ÉOCÈNE Epoque géologique qui a duré de - 53 à - 34 millions d'années, lorsque les mammifères sont devenus les animaux terrestres dominants.

ÉROSION Usure de la roche par le vent, l'eau, la glace.

ÉVOLUTION Processus par lequel les espèces se transforment en de nouvelles espèces durant des millions de générations. Certains caractères sont conservés, d'autres non.

EXOSQUELETTE Carapace extérieure dure qui protège le corps de certains invertébrés.

EXTINCTION Disparition d'une espèce animale ou végétale.

FOSSILE Restes d'un animal, d'une plante ou de leur trace naturellement conservées.

FOSSILE DE TRACE Trace fossilisée de l'activité d'un animal, comme des empreintes de pattes ou des coprolithes.

GÉOLOGIE Etude des roches.

GLACIER Rivière de glace animée de mouvements très lents.

GYMNOSPERME Plante qui produit et porte sa graine dans un cône.

HERBIVORE Animal qui broute et se nourrit de végétaux.

HOLOCÈNE Période géologique actuelle qui a commencé il y a 10 000 ans, lorsque les humains sont devenus les vertébrés terrestres dominants.

HOMINIDÉS Famille qui comprend des espèces disparues et l'homme moderne.

ICHTYOSAURE Reptile marin aujourd'hui éteint, semblable au dauphin, qui vivait au Mésozoïque.

IMPERMÉABLE Qui ne laisse pas passer l'eau.

INVERTÉBRÉ Animal dépourvu de colonne vertébrale, comme un crustacé ou un insecte.

JURASSIQUE Période géologique qui a duré de - 205 à - 135 millions d'années.

LYCOPODE Végétal apparenté aux prêles, groupe de plantes primitives qui se reproduisent grâce à leurs spores.

MAGMA Roche fondue sous la croûte terrestre.

MAMMIFÈRE Animal à sang chaud et à fourrure qui donne généralement naissance à des petits complètement développés.

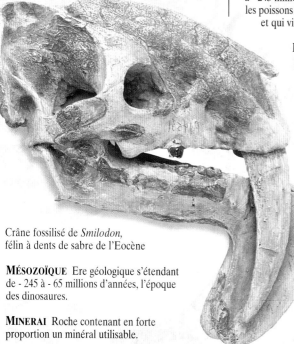

Crâne fossilisé de *Smilodon*, félin à dents de sabre de l'Eocène

MÉSOZOÏQUE Ere géologique s'étendant de - 245 à - 65 millions d'années, l'époque des dinosaures.

MINERAI Roche contenant en forte proportion un minéral utilisable.

MINÉRAL Solide naturel homogène possédant certaines caractéristiques constantes comme une structure atomique ordonnée et une composition chimique précise.

MIOCÈNE Période géologique allant de - 24 à - 5 millions d'années.

MOLLUSQUE Invertébré dépourvu de segments.

NODULE Morceau arrondi de roche dure.

OLIGOCÈNE Période géologique entre - 34 et - 24 millions d'années.

OPALE Minéral composé de silice hydratée.

ORDOVICIEN Période géologique qui s'étend de - 500 à - 435 millions d'années.

PALÉOBOTANIQUE Etude des plantes fossiles.

PALÉOCÈNE Première période géologique du Cénozoïque qui s'étend de - 65 à - 53 millions d'années.

PALÉONTOLOGIE Etude des fossiles.

PALÉOZOÏQUE Ere géologique, allant de - 540 à - 245 millions d'années, au cours de laquelle les poissons et invertébrés marins prospérèrent, et qui vit l'apparition des plantes terrestres.

PANGÉE Super continent formé durant le Paléozoïque supérieur et qui a commencé à se morceler durant le Mésozoïque.

PERMIEN Dernière période du Paléozoïque, s'étendant entre - 295 et - 245 millions d'années.

PIGMENT Substance qui donne sa coloration au support sur lequel il est appliqué.

PLACODERME Poisson caractérisé par une armure dermique et de fortes mandibules, qui vivait du Silurien supérieur au Carbonifère inférieur.

PLÉISTOCÈNE Période géologique allant de - 1,64 millions d'années à - 10 000 ans, époque de la dernière glaciation.

PLÉSIOSAURE Reptile marin au long cou qui vivait au Mésozoïque.

PLIOCÈNE Période géologique entre - 5 et - 1,64 millions d'années.

POLYPE Minuscule invertébré marin. Des colonies de polypes forment des récifs de corail.

PRÉCAMBRIEN Période géologique la plus ancienne, qui s'étend de - 4, 5 milliard d'années, lors de la formation de notre planète, à - 540 millions d'années.

PTÉROSAURE Reptile volant disparu qui vivait au Mésozoïque.

REPTILE Animal à sang froid et à écailles qui se reproduit en pondant des œufs.

Squelettes d'un oursin fossile (ci-contre), et d'un oursin actuel (ci-dessous)

RESSOURCES NATURELLES Ensemble des réserves énergétiques, minières ou forestières.

ROCHE ÉRUPTIVE Roche formée de magma refroidi et durci dans la croûte de la Terre.

ROCHE MÉTAMORPHIQUE Roche résultant de la transformation par la pression et la chaleur ou par la chaleur seule de roches préexistantes.

ROCHE SÉDIMENTAIRE Roche formée à la surface de la Terre, constituée de couches de fragments de roches et d'autres substances comme de la boue, accumulées et consolidées.

SCHISTE ARGILEUX Roche sédimentaire faite de lits d'argile consolidés.

SILURIEN Période géologique qui s'étend de - 435 à - 410 millions d'années.

STRATIFICATION Formation de couches de roche.

TEST Squelette de l'oursin.

TRIAS Première période du Mésozoïque, qui s'étend de - 245 à - 205 millions d'années.

VERTÉBRÉS Animaux possédant une colonne vertébrale.

Eponge de mer du Crétacé

INDEX

NOTES

Dorling Kindersley tient à remercier :
Plymouth Marine Laboratory ;
National Museum of Wales ;
Kew Gardens pour les spécimens ;
Lester Cheeseman et Thomas Keenes
pour leur aide graphique ; Anna Kunst
pour son aide éditoriale ; Meryl Silbert ;
Karl Shone pour ses photos (pp 18-19) ;
Jane Parker pour l'index.

L'auteur tient à remercier :
M.K. Howarth ; C. Patterson ; R.A.
Fortey ; C.H.C. Brunton ; A. W. Gentry ;
B.R. Rosen ; J.B. Richardson ; P.L.
Forey ; N.J. Morris ; C.B. Stringer ; A.B.
Smith ; J.E.P. Whittaker ; R. Croucher ;
S.F. Morris ; C.R. Hill ; A.C. Milner ;
R.L. Hodgkinson ; C.A. Walker ; R.J.
Cleevely ; C.H. Shute ; V.T. Young ; D.N.
Lewis ; A.E. Longbottom ; M. Crawley ;
R. Krusynski ; C. Bell ; S.C. Naylor ; A.
Lum ; R.W. Ingle ; P.D. Jenkins ; P.D.
hillyard ; D.T. Moore ; J.W. Schopf ; C.
M. Butler ; P.W. Jackson

Illustrations : John Woodcok
et Eugene Fleury
Recherche iconographique :
Kathy Lockley.

ICONOGRAPHIE

h = haut, b = bas, m = milieu,
g = gauche, d = droite

Aldus Archive : 53hm, 54bg
Alison Anholt-White : 28hg
Ardea : 9bg, 21m, 42m, 42bg, 43h, 61hm
Biofotos/Heather Angel : 26m,
31 md, 38bd, 44-45bm, 60hd
Bridgeman Art Library : 14md
Musée de Cluny/Lauros-Giraudon 17hg
dept. of Earth Sciences, University
of Cambridge : 39md
Cleveland Museum of Natural History,
Ohio : 59m
Bruc Coleman : 8bd, 22m, /Jeff Foote :
28hd, 39m, 40m, /Fritz Pretzel :
57bd,/Kim Campbell : 59mg
Simon Conway Morris : 20m
Mary Evans Picture Library : 13mg,
14bd, 15hg, 20m, 48h, 52hg, 54h, 54bd,
55h, 55md, 55b, 62m
Vivien Fifield : 50b
Geological Society : 46h
Geoscience Features Picture Library :
9hd, 51hg, 51hm, 51hd
David George : 25m
Robert Harding Picture Library :
21bd, 29m, 59b
Michael Holford, 12hg
Hutchison Library : 24hg, 57md
Mansell Collection : 26h, 40b
Oxford Scientific Films : 44bg, 53bm
Planet Earth Pictures : 32mg, 41m,
43mg, 44md, 63hg
Ann Ronan Picture Library : 15hm,
50bd
Science Photo Library : 58d
Paul Taylor : 19b
ZEFA : 20-21bg

Couverture : © D. R.
pp. 64-71 : D. R.

Nous nous sommes efforcés
de retrouver les propriétaires
des copyrights. Nous nous excusons
pour tout oubli involontaire.
Nous effectuerons toute modification
éventuelle dans nos prochaines
éditions.